Aj, na louce červená kalina sklání se,
slavná Ukrajina pro něco smutná je.
My však tu červenou kalinu vzkřísíme,
naši slavnou Ukrajinu, hej – hej, rozveselíme!

**z ukrajinské lidové písně „Aj, na louce červená kalina"**
(*Oj u luzi červona kaɫyna*)

Píseň *Oj u luzi červona kaɫyna* je vlastenecký pochod.
Vznikla z kozáckého popěvku ze sedmnáctého
století a během první světové války se stala hym-
nou ukrajinských sičových střelců, ukrajinských
vojenských jednotek v rakousko-uherské armádě,
Ukrajinské lidové armády (v letech 1917–1921)
a později Ukrajinské povstalecké armády (UPA),
která na Ukrajině působila za druhé světové války
a po ní. Dlouho se spojovala s ukrajinským odbojem,
během sovětské éry byla zakázána a dnes se znovu
dostala do popředí zájmu jako neoficiální hymna
rusko-ukrajinské války. Červená kalina (*kaɫyna*)
se v ukrajinském folkloru objevuje často. Je krásná
po celý rok – i v zimních měsících je obsypána sytě
červenými bobulemi a každé jaro na ní vyrůstají
kulaté bílé květy – a právě proto se stala symbolem
ukrajinské kulturní identity.

# POKLADY
# UKRAJINY

## HISTORICKÉ DĚDICTVÍ

*Předmluva*
**ANDREJ KURKOV**

*Spoluautoři*
Andrij Pučkov
Christian Raffensperger
Diana Kločko
Maksym Jaremenko
Alisa Ložkina
Myroslava M. Mudrak
Oleksandr Solovjov
Viktorija Burlaka

S 267 ilustracemi

Published by arrangement with Thames & Hudson Ltd, London
Treasures of Ukraine: A Nation's Cultural Heritage
© 2022 Thames & Hudson Ltd, London

Foreword © 2022 Andrey Kurkov
Chapter 1 © 2022 Andriy Puchkov
Chapter 2 © 2022 Christian Raffensperger
Chapter 3 © 2022 Diana Klochko
Chapter 4 © 2022 Maksym Yaremenko
Chapter 5 and Folk Art © 2022 Alisa Lozhkina
Chapter 6 © 2022 Myroslava M. Mudrak
Chapter 7 © 2022 Oleksandr Soloviev
Chapter 8 © 2022 Victoria Burlaka
Layout by Grade Design
Map by Emily Faccini

Translation © Sylva Ficová, 2023
Czech edition © Nakladatelství Slovart, 2023

**Poklady Ukrajiny. Historické dědictví**
Z anglického originálu *Treasures of Ukraine: A Nation's Cultural Heritage*, poprvé vydaného v roce 2022 nakladatelstvím Thames & Hudson Ltd, 181A High Holborn, London, přeložila Sylva Ficová
Vydalo Nakladatelství Slovart, s. r. o., v Praze v roce 2023
Odborná revize a redakce Rita Lyons Kindlerová
Korektury Jiří Kettner
Editorka Aneta Křižková
Sazba Alias Press, s. r. o., Bratislava
Tisk FINIDR, s. r. o., Český Těšín
Vydání první

ISBN 978-80-276-0767-9
10 9 8 7 6 5 4 3 2 1
www.slovart.cz

*Výtěžek z prodeje knihy získá ukrajinský PEN klub na pomoc ukrajinským autorům v nouzi. Část prostředků bude převedena na podporu výstavby a obnovy sbírek muzeí na Ukrajině, která poškodilo ruské bombardování.*

*Ukrajinský PEN klub je nevládní organizace, která vznikla v roce 1989. Usiluje o ochranu svobody slova a práv autorů, propagaci literatury i budování mezinárodní kulturní spolupráce. Sdružuje na 140 ukrajinských intelektuálů: spisovatelů, novinářů, vědců, překladatelů, obránců lidských práv a kulturních manažerů. Je součástí sítě 146 center mezinárodního PEN klubu po celém světě.*

*Ukrajinský PEN klub se zaměřuje především na ochranu svobody slova a práv autorů. Organizuje lidskoprávní kampaně, iniciuje prohlášení na podporu pronásledovaných autorek a autorů a zasazuje se o kvalitní nezávislou žurnalistiku. Propaguje také ukrajinskou literaturu doma i v zahraničí formou literárních cen, festivalů a rezidenčních pobytů, pořádáním literárních čtení, vydáváním knih a zapojováním mládeže do moderní kultury. PEN se podílel na založení Ceny Vasyla Stuse, Ceny Jurije Ševelova, Ceny Heorhije Gongadzeho a Drahomán Prize.*

# Obsah

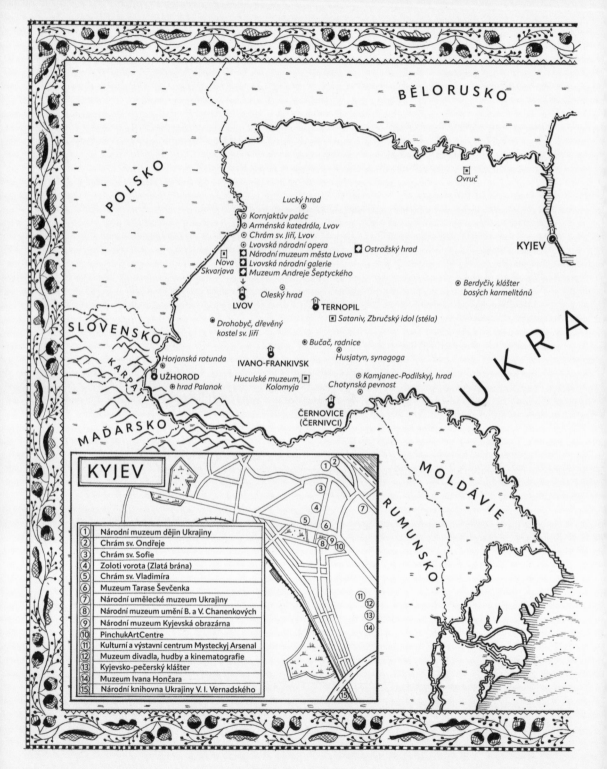

BĚLORUSKO

POLSKO

Ovruč

KYJEV

Lucký hrad

◉ Kornjaktův palác
◎ Arménská katedrála, Lvov
◉ Chrám sv. Jiří, Lvov
◉ Lvovská národní opera
◼ Národní muzeum města Lvova
◼ Lvovská národní galerie
◼ Muzeum Andreje Šeptyckého

◼ Ostrožský hrad

Nova
Skvarjava

◉ Berdyčiv, klášter
bosých karmelitánů

◉ Oleský hrad

LVOV

TERNOPIL

◼ Sataniv, Zbručský idol (stéla)

◉ Drohobyč, dřevěný
kostel sv. Jiří

◉ Bučač, radnice

SLOVENSKO

◉ Horjanská rotunda

IVANO-FRANKIVSK

◉ Husjatyn, synagoga

KARPATY

◉ UŽHOROD

Huculské muzeum, ◼
Kolomyja

◉ Kamjanec-Podilskyj, hrad
Chotynská pevnost

◉ hrad Palanok

UKRA

ČERNOVICE
(ČERNIVCI)

MAĎARSKO

MOLDÁVIE

RUMUNSKO

### KYJEV

| ① | Národní muzeum dějin Ukrajiny |
| ② | Chrám sv. Ondřeje |
| ③ | Chrám sv. Sofie |
| ④ | Zoloti vorota (Zlatá brána) |
| ⑤ | Chrám sv. Vladimíra |
| ⑥ | Muzeum Tarase Ševčenka |
| ⑦ | Národní umělecké muzeum Ukrajiny |
| ⑧ | Národní muzeum umění B. a V. Chanenkových |
| ⑨ | Národní muzeum Kyjevská obrazárna |
| ⑩ | PinchukArtCentre |
| ⑪ | Kulturní a výstavní centrum Mysteckyj Arsenal |
| ⑫ | Muzeum divadla, hudby a kinematografie |
| ⑬ | Kyjevsko-pečerský klášter |
| ⑭ | Muzeum Ivana Hončara |
| ⑮ | Národní knihovna Ukrajiny V. I. Vernadského |

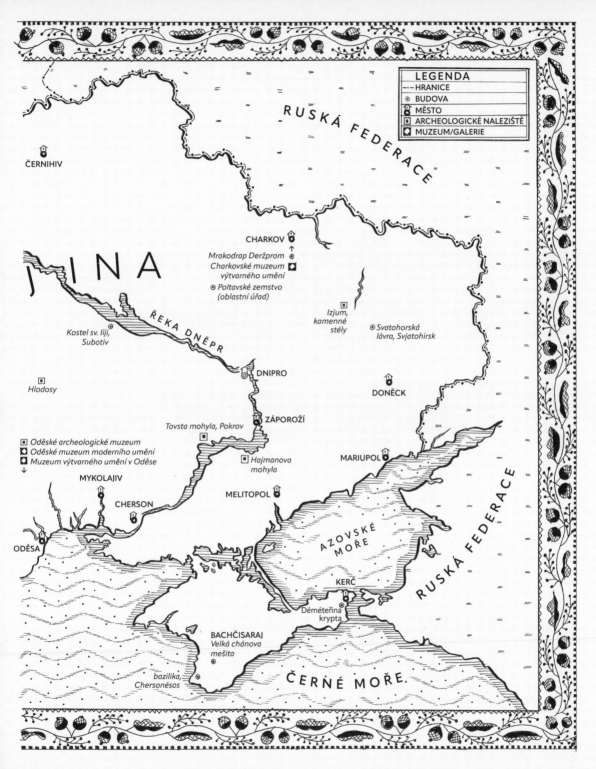

LEGENDA
- - - HRANICE
⊙ BUDOVA
◉ MĚSTO
▣ ARCHEOLOGICKÉ NALEZIŠTĚ
⬙ MUZEUM/GALERIE

RUSKÁ FEDERACE

ČERNIHIV

JINA

ŘEKA DNĚPR

CHARKOV
Mrakodrap Deržprom
Charkovské muzeum
výtvarného umění
Poltavské zemstvo
(oblastní úřad)

Kostel sv. Ilji,
Subotiv

Izjum,
kamenné
stély

Svatohorská
lávra, Svjatohirsk

Hlodosy

DNIPRO

DONĚCK

Tovsta mohyla, Pokrov

ZÁPOROŽÍ

Oděské archeologické muzeum
Oděské muzeum moderního umění
Muzeum výtvarného umění v Oděse

Hajmanova
mohyla

MARIUPOL

MYKOLAJIV

MELITOPOL

CHERSON

AZOVSKÉ
MOŘE

ODĚSA

KERČ

Déméteřina
krypta

BACHČISARAJ
Velká chánova
mešita

RUSKÁ FEDERACE

bazilika,
Chersonésos

ČERNÉ MOŘE.

# Předmluva
# Andrej Kurkov

Válka vždy začíná slovy. Na tom není nic překvapivého, slova přece lidskou civilizaci utvářela od prvopočátku. Ta, která předcházejí válce, se však používají jako zbraně: mají ponížit a zničit nepřítele – dokázat, že nemá právo existovat.

Stále si připomínám ty první únorové dny vpádu Ruska na Ukrajinu v roce 2022 – nejen první výbuchy ruských raket v ukrajinských městech, ale i svou snahu pochopit, jak Rusko dokázalo přesvědčit své občany, aby se na sousedním státu – na Ukrajincích – dopouštěli tak strašlivých válečných zločinů. Dokázalo by to beze slov? Určitě ne. Dvacet let televizní propagandy a působení politických manipulátorů přesvědčilo celé vrstvy ruské společnosti, že Ukrajinci jsou fašisté a je třeba je zkrátka zničit.

Konečný „rozsudek smrti" měl podobu článku, který dne 3. dubna 2022 zveřejnila ruská státní tisková agentura RIA Novosti pod názvem „Co by Rusko mělo udělat s Ukrajinou". Šlo o úvodník politického stratéga Timofeje Sergejceva, v němž autor kromě příslibu, že stát jménem Ukrajina přestane existovat, rovněž vysvětloval, co její národ čeká: „denacifikace s sebou nevyhnutelně ponese také deukrajinizaci – odmítnutí velkého a umělého zveličování etnického prvku v sebeidentifikaci obyvatelstva žijícího na území historického Maloruska a Nového Ruska." Jasně tak vyjádřil, že Rusko povede válku nejen s cílem rozšířit vlastní území, ale i za účelem naprostého zničení ukrajinské identity a kultury.

Článek agentury RIA Novosti dokládá, že v Rusku se pojem „Ukrajinci" používá k označení etnické skupiny, nikoli jiného národa, který žije ve vymezeném politickém útvaru – ve státě Ukrajina. Skutečnost je však zcela jiná. Během třiceti let od získání nezávislosti se občany Ukrajiny stali etničtí Rumuni, Poláci, Rusové, Židé, Arméni i Ázerbájdžánci. Zcela záměrně se jimi stali také krymští Tataři, z nichž mnozí v roce 2014 odmítli připojení své vlasti k Rusku i ruské pasy. Ukrajinci se stali rovněž etničtí Bulhaři, Moldavané, Gagauzové a Řekové, kteří na území tohoto státu žijí.

Během těchto třiceti let se z Ukrajiny stal politický státní útvar, který intenzivně vnímá svou identitu. V mnoha ohledech to byl přímý důsledek protiukrajinské politiky Kremlu. Právě během oranžové revoluce v roce 2004 jsem si poprvé silně uvědomil vlastní odpovědnost za budoucnost své země. V tomto stěžejním okamžiku se ze mě, z postsovětského rusko-jazyčného občana, stal představitel ukrajinské kultury a ukrajinské identity – Ukrajinec. Domnívám se, že stejnou proměnou tehdy prošly miliony

*na protější straně*
**Kostel Všech svatých v jeskynním klášteře ve Svjatohirsku (Svatohorská lávra Zesnutí Panny Marie)** Založen 1526. Tato původně kamenná a dnes dřevěná stavba byla po zničení sovětskými vojsky roku 1947 znovu vybudována v roce 2009; ruská armáda ji ostřelovala v červnu 2022. Svjatohirsk, Doněcká oblast

**Marija Pryjmačenko,
Holubice roztáhla křídla,
chce na zemi mír, 1982**
Kvaš, reflexní barva, papír
61,2 × 85,7 cm
Historické a vlastivědné muzeum,
Ivankiv, Kyjevská oblast

krajanek a krajanů. Události z let 2013 a 2014 ukrajinskou identitu už jen
posílily a upevnily.

Vzhledem k tomu, že tento společný pocit národní příslušnosti se
formoval při obraně zájmů Ukrajiny před ruskými vlivy, ukrajinská identita
se stala přirozeným protikladem identity ruské. Ohromná propast by však
mezi kulturními identitami obou zemí zela i bez komplikací a problémů
nedávných rusko-ukrajinských vztahů; jejich obyvatelé totiž mají velmi
odlišnou mentalitu. Rusové a Ukrajinci mají jiné, byť vzájemně provázané
dějiny. Ukrajinci si od šestnáctého století na kozáckých shromážděních volili
hetmana (hlavu státu) a vyšší důstojníky kozácké armády; všechny kozácké
hlasy měly stejnou váhu. Tyto demokratické postupy spolu s dalšími faktory
v Ukrajincích podporovaly smysl pro individualismus a očekávání, že názory
občanů se budou respektovat. Ukrajinští kozáci nebyli slabošští stoupenci
svých velitelů, ale svobodní lidé, kteří se dokázali vypořádat se složitou
dynamikou jak svého území, jehož hranice se neustále měnily, tak i mimo ně.
Proto u nich převládaly sklony k anarchii v době války i míru. A v ukrajinské
společnosti přetrvávají dodnes.

Rusko bylo v té době autokratickou monarchií. Tamní společnost byla
po staletí hierarchická a jakákoli neposlušnost nebo porušení pravidel byly

přísně trestány. To utvářelo kolektivní mentalitu ruského národa, který si zvykl nést za svá rozhodnutí a činy sdílenou, nikoli individuální odpovědnost.

Pro Rusy byl symbolem stability car. Pokud účastníci spiknutí nebo revolucionáři jednoho zabili, loajalita a poslušnost přešly zkrátka na toho následujícího. Jiné řešení neexistovalo. Dějinné události na Ukrajině mezitím posílily neúctu k autoritám, jež přetrvala i poté, co významné ukrajinské oblasti v roce 1654 ovládla Moskva. V obou zemích tak můžeme vidět zárodky protichůdných priorit a hodnot, jež se začaly výrazněji projevovat od devatenáctého století: zatímco Ukrajinci dávali přednost spíše svobodě, Rusové upřednostňovali stabilitu. Carské Rusko i Sovětský svaz Ukrajince za jejich individualismus a neposlušnost vůči carovi či komunistické straně neustále trestaly. Když ukrajinští rolníci na přelomu dvacátých a třicátých let dvacátého století odmítli vstoupit do kolchozů a odevzdat státu dobytek a půdu, Moskva je nechala deportovat na Sibiř. V letech 1932 a 1933 Kreml za stejný odpor ke kolektivnímu fungování sovětského typu potrestal Ukrajince uměle vyvolaným hladomorem (tzv. Holodomor), při němž zemřelo mezi pěti až sedmi miliony lidí. Dnešní brutální invaze je jen pokračováním ruské snahy o porobení ukrajinské identity.

V době carského i sovětského Ruska Moskva pravidelně zaváděla politiku rusifikace, která podkopávala ukrajinskou mentalitu a identitu. Tato politika byla zčásti úspěšná. Člověk, který zapomněl svou rodnou ukrajinštinu a začal mluvit jazykem impéria – rusky – ztratil do velké míry pojem o tom, co je zač, a s větší pravděpodobností pak přijal i kolektivní „sovětské" vnímání a stal se součástí sovětského systému.

Během období více než třicetileté nezávislosti však došlo k obnovení ukrajinských hodnot a obrození ukrajinštiny na územích, kde ji vytlačila ruština. Dnes přijali jedinečnou kulturní identitu země za svou mnozí neukrajinsky mluvící občané Ukrajiny. Z mého pohledu je pro Moskvu největším zklamáním, že většina rusky mluvících Ukrajinců nemá k Rusku vřelý vztah ani politické sympatie. To vysvětluje krutost, s jakou ruská armáda ostřelovala ruskojazyčná města Charkov, Mariupol a Sěverodoneck. Předpoklad, že rusky mluvící obyvatelé budou okupační vojáky vítat, byl mylný. Na Ukrajině lidé mluví jazykem, který jim vyhovuje – tím, kterým jsou zvyklí mluvit –, a jazyk neurčuje jejich politické názory. V době, kdy píšu tento text, přechází čím dál větší počet rusky mluvících Ukrajinců na ukrajinštinu právě proto, aby je Moskva nevnímala jako potenciální spojence v boji za obnovení Sovětského svazu nebo ruské říše. Přestože hraje ukrajinština při utváření národní identity důležitou roli, ani zdaleka není jedinou známkou kulturní sounáležitosti.

V létě 2022 byly na okupovaných územích Ukrajiny zrušeny školní prázdniny. Ruské úřady rozhodly, že ukrajinské děti letní měsíce stráví studiem ruského jazyka, ruské literatury a ruských dějin. V učebnicích dějepisu – zvlášť vydaných pro okupovaná území Ukrajiny – není ani zmínky o hladomoru z let 1932–1933, o Kyjevské Rusi (tento pojem nahradilo slovo „Rus"), ani o demokratických volbách hetmanů, jež se na nezávislé Ukrajině

odehrávaly v šestnáctém a sedmnáctém století. Učebnice neuvádějí ani název země: Ukrajina. A samozřejmě v nich nenajdeme ani slovo o ukrajinské identitě nebo bohatém kulturním dědictví, jež je však zastoupeno artefakty, uměleckými díly i skvělou architekturou.

Jak na to reagovat? Určitě ne vymazáním ruských dějin z ukrajinských učebnic. Ukrajina by určitě měla i nadále rozvíjet prostředky na výuku ukrajinských dějin, literatury a kultury tak, aby podpořila individuální porozumění a odpovědnost. Jen tak už žádného ruského politického stratéga nenapadne, že je možné deukrajinizovat Ukrajinu nebo zničit kulturní identitu celého národa.

NAHOŘE (*zleva nahoře ve směru hodinových ručiček*):

**Svatý Jan Evangelista**
Přelom 19. a 20. století, 39,3 × 29,5 cm
**Panna Marie Ochranitelka** (tzv. Pokrov Přesvaté Bohorodičky)
19. století, 39,8 × 29,5 cm
**Hořící keř**, 19. století, 31,4 × 21,7 cm
**Zmrtvýchvstání Krista**, 19. století, 39,7 × 30,6 cm

*Vše*: Muzeum Ivana Hončara, Kyjev
Olej na dřevě

NA PROTĚJŠÍ STRANĚ (*zleva nahoře ve směru hodinových ručiček*):

**Svatí Charalampos a Blažej**
Přelom 19. a 20. století, 52,5 × 43 cm
**Zvěstování** Konec 19. století, 39,6 × 29,2 cm
**Panna Marie Pečerská**
19. stol. / počátek 20. století, 36,7 × 27,5 cm
**Matka Boží Znamení** Konec 19. století, 29,5 × 22,5 cm

*Vše*: Muzeum Ivana Hončara, Kyjev
Olej na dřevě

*Lidové umělecké předměty mají často estetickou i praktickou hodnotu.*
*Někde mezi užitým a čistě dekorativním uměním se nachází ikona:*
*nepostradatelný předmět každé ukrajinské domácnosti. Viz s. 242.*

# OD PRAVĚKU
## *do*
# RANÝCH DĚJIN

### (45 000 př. n. l. až 9. století)

**Andrij Pučkov**

**V**ýchodoevropská nížina se táhne od Karpat na západě až k Uralu na východě. V pravěku na jejím západním konci rostly prastaré lesy, jež se táhly od severu k jihu podél Dněstru, Jižního Bugu a Dněpru. Tyto tři řeky – široké, hluboké a plné ryb – protékaly panenskými dubovými a borovými lesy a v krajině po nich zůstávala jezera, mokřady a přítoky. Na rozlehlá území obývaná jen malým počtem lidí musel být úchvatný pohled. Velkou část dnešní jižní Ukrajiny tvořil široký pás pastvin protkaný lesy, tzv. pontská (pontsko-kaspická) step. Její název je odvozen od latinského sousloví *Pontos euxeinos* neboli „Pohostinné moře", jak Řekové říkali Černému moři.

Prvními předky člověka na ukrajinském území byli neandertálci, kteří sem přišli někdy kolem roku 45 000 př. n. l. Před 25 000 až 15 000 lety, tedy během pozdního pleistocénu, začaly skupiny lidí osidlovat konkrétní místa. Většina artefaktů, které se z té doby dochovaly a které dnes obdivujeme za sklem vitrín v muzeích, jsou běžné předměty, například domácí náčiní. Významný ukrajinský historik Mychajlo Hruševskyj na počátku dvacátého století předpokládal, že první obyvatelé ukrajinského území se od svých bezprostředních sousedů lišili z antropologického i sociokulturního hlediska a měli vlastní sociální postoje, názory na osobní a rodinné vztahy i odlišnou duchovní a materiální kulturu. Díky artefaktům nalezeným v lokalitách po celé Ukrajině – v Mizynu na řece Desně, v obci Molodove na Dněstru a v okolí kyjevského chrámu sv. Cyrila (Kyrylivské naleziště) – máme o skupinách lidí, z nichž se později vyvinula specifická etnika a kultury, alespoň matnou představu: jednotlivé kultury se od sebe odlišovaly výrobou předmětů v originálních stylech či formách.

Činnost prvních obyvatel samozřejmě motivoval především boj o přežití. Kromě nástrojů, hrotů oštěpů a jehel se však dochovaly i důkazy o tom, že dané obyvatelstvo mělo zdroje a touhu vyrábět také ozdobné kulturní předměty. Mamutí kel objevený na Kyrylivském nalezišti zdobí geometrický vzor připomínající ptáky; není to snad projev touhy prvních lidí vzhlížet spíše k nebi než se dívat pod nohy?

Mezi ranými příklady městského státu, jež předcházely i ty mezopotámské, najdeme největší a nejstarší městská sídliště v neolitické Evropě. Ty patří ke cucutensko-trypilské kultuře (česky též cucutensko-trypolská kultura – pozn. red.) z pozdní doby kamenné. Trypilská kultura pokrývala obrovské území dnešní západní, střední a jižní Ukrajiny a tisíce starověkých obyvatel se zde usazovaly od šestého do třetího tisíciletí př. n. l. Poté začala upadat a zdánlivě se na ni zapomnělo, dokud ji na konci devatenáctého století znovu neobjevili archeologové (objevitelem trypilské kultury byl původem Čech a zakladatel ukrajinské archeologie Vikentij (Čeněk) Chvojka – pozn. red.). Od desátého století př. n. l. bojovaly o nadvládu nad jižními oblastmi dnešní Ukrajiny různé

*strana 22*
**Skythský zlatý pektorál**
(detail)
4. století př. n. l.
*Viz obr. 6, s. 34*

kočovné kmeny ze západní Asie. Nejprve to byli Kimmerijci, pak Skythové, po nichž se dochovaly nádherné artefakty z jemně opracovaného zlata, a nakonec Sarmaté. Na severním pobřeží Černého moře tehdy zakládali četné osady řečtí kolonisté, kteří s sebou přinesli trvalý kulturní a umělecký vliv. Poblíž dnešní Oděsy a Chersonu a na severním krymském pobřeží Azovského moře vybudovali působivé stavby, z nichž mnohé se dochovaly až do čtvrtého století. I ta nejpozoruhodnější místa jako Olbia (ukrajinsky Olvija) u Mykolajiva nebo Chersonésos na periferii dnešního Sevastopolu však představují omezený repertoár budov, včetně chrámů, stoí, portiků a divadel, obvykle s pevně danými architektonickými prvky. Tyto typy staveb se v průběhu staletí neměnily, a jejich pozůstatky tak o kulturním vývoji svých stavitelů vypovídají jen velmi málo.

Skythy, Sarmaty a Řeky přibližně od pátého do desátého století vytlačovaly a nakonec i ovládly různé skupiny a kmeny včetně Ostrogótů, Hunů, Chazarů, Antů, Venetů, Sklavínů a mnoha dalších a postupně se z nich vyvinuli ti, které dnes označujeme za první Slovany. Ti pak později s příchodem christianizace založili první východoslovanský státní útvar Kyjevskou Rus (viz druhá kapitola).

Světonázor obyvatel ukrajinského území se vyvíjel celá tisíciletí v zápase s přírodními silami. Pravěké národy obývaly a krotily rozlehlé stepi, kde čelily všudypřítomným hrozbám přírodních katastrof, predátorů a nepřátelských sousedů. Díky mírnému podnebí a bujné vegetaci tvořené rozsáhlými travnatými pláněmi, jež střídaly hluboké lesy, se u nich tříbilo vnímání světa a probudily v sobě poetickou představivost, která v době klidu vzkvétala. Věřily, že zvířata, stromy, řeky, prameny a hory mají vlastní duši a že existují zlí duchové, kteří přinášejí neštěstí a rány osudu, a duchové laskaví, kteří střeží krb, domácí zvířata a obdělávanou půdu. Čestné místo v lidové představivosti zaujímal býk či vůl, symbol síly a plodnosti, a kůň, věrný pomocník člověka. Ten se objevoval v kombinaci s vyobrazením jezdce-bojovníka, obráncem před nepřátelskými kočovnými kmeny, nebo se slunečním bohem, který na svém voze brázdil oblohu. V pátém až osmém století se evropské vlivy Byzantské říše dostaly do kontaktu s vlivy ze západní Asie. Z toho vznikající motivy v lidovém umění začaly pronikat do umění již křesťanské éry. Toto spojení mezikulturního působení ovlivňovalo ukrajinské umění a kulturu v následujících staletích.

*na následující dvoustraně*
**Polovecké kamenné stély (tzv. báby)**
9.–3. století př. n. l.
Kopec Kremenec, Izjum, Charkovská oblast
(Částečně zničeno 24. března 2022)

# Pravěk

První lidé pozdního pleistocénu, tedy na konci poslední doby ledové, žili na
území dnešní Ukrajiny v podmínkách, jež se celkem vzato podobaly podmínkám
v celé tehdejší Evropě. Byli poměrně usedlí a spoléhali se na základní formy lovu
a sběru. Používání kamene a kostí, ovládání ohně a doklady o plánování pozdně
pleistocenních osad naznačují, že jejich každodenní činnosti měly logický řád.
Jako první, nám známý stavební materiál, který byl pozoruhodně trvanlivý,
sloužily mamutí kosti a kly. V obydlích a s pevnými materiály začali starověcí
lidé přemýšlet o estetice předmětů, které tvořili. Kořeny naivního realismu jako
umělecké formy lze vidět již v užitkových artefaktech nalezených v pralesích
kolem řek Dněstr, Jižní Bug a Dněpr, například ve zdobených mamutích klech
z kyjevského Kyrylivského naleziště.

Osadníky lákalo v prvé řadě mírné klima a zdánlivě nevyčerpatelné přírodní
zdroje východoevropské nížiny a Karpat. Pro národy obývající lesnatou a polo-
stepní krajinu bylo vždy důležitým materiálem dřevo, které používaly na všechno:
od jednoduchých dětských hraček po náročné chrámové stavby. Dřevěné svatyně,
obydlí, opevnění, lodě, dláždění i kuchyňské potřeby (sudy, lžíce, žlaby, káď a díže)
sice dlouho nevydržely, nabízely však spoustu příležitostí uplatnit umělecké
nadání tvořivějších jedinců té doby. Předměty často zdobila stylizovaná vy-
obrazení lidí, zejména žen coby symbolů plodnosti. Zrod keramiky a používání
mědi a bronzu usnadnily tehdejším lidem každodenní život. Díky využívání
trvanlivějších materiálů se řada vyrobených předmětů, například artefakty
nalezené v Kamenné mohyle u Melitopolu, dodnes dochovala a ukazuje tak, jak
vypadala činnost neolitických kmenů.

1
**Trypilská keramika**
Konec 5. století – začátek
4. tisíciletí př. n. l.
Keramika
Národní muzeum
dějin Ukrajiny, Kyjev

„Kořeny naivního realismu jako umělecké formy
lze vidět již v užitkových artefaktech nalezených
v pralesích kolem řek Dněstr, Jižní Bug a Dněpr,
například ve zdobených mamutích klech
z kyjevského Kyrylivského naleziště.“

V neolitu mezi rytinami na kamenech a jeskynními malbami převládaly lineární geometrické motivy, jako například vyobrazení stáda divokých býků v jeskyních u Kamenné mohyly, které zřejmě symbolizuje odvahu lovců při shromažďování stáda. V tomto období, tedy od osmého do třetího tisíciletí př. n. l., se lidská společenství začínala organizovat na základě příbuzenských vztahů. Cucutensko-trypilská kultura (často označovaná jen jako trypilská) byla charakteristická pro kmeny obývající území na pravém břehu Dněpru na území dnešní Ukrajiny a je spojovaná s oblastí známou jako ukrajinský pontský neboli černomořský region. Tato kultura vzkvétala v pozdní době kamenné, po objevení mědi. Představovala významný krok směrem ke společnosti závislé na obdělávání půdy a domestikovaných hospodářských zvířatech. Tehdejší lidé věřili v dobrotivé a zlé bohy či démony a vyřezávali a tesali stylizované ochranné totemy. Své okolí si chtěli zjevně podrobit také esteticky, a předměty denní potřeby či zbraně tak čím dál častěji zdobili schematickými zoomorfními, antropomorfními i geometrickými vzory. Prvky realismu patrné na keramických modelech staveb, miniaturních hliněných plastikách či na provázkové výzdobě

2
**Trypilský malovaný model posvátné stavby**
Počátek 4. tisíciletí př. n. l.
Keramika
Národní muzeum dějin Ukrajiny, Kyjev

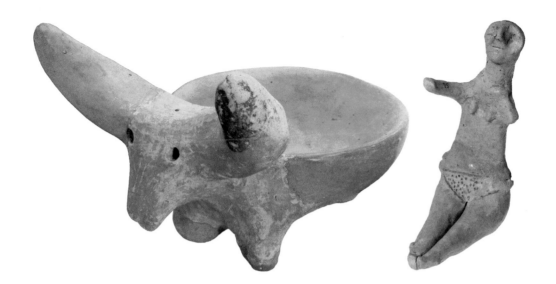

3a
**Trypilská mísa s býčí hlavou**
Polovina 4. tisíciletí př. n. l.
Keramika
Národní muzeum
dějin Ukrajiny, Kyjev

3b
**Trypilská figurka ženy**
Konec 5. – počátek
4. tisíciletí př. n. l.
Keramika
Národní muzeum
dějin Ukrajiny, Kyjev

malovaných džbánů odrážejí rovněž fyzikální jevy a okolní prostředí. Realistické i abstraktní prvky předmětů z tohoto období jsou pozoruhodně vkusné a současní umělci z nich neustále čerpají.

Přechodem na měď a bronz v prvním tisíciletí př. n. l., kdy zemědělství a chov zvířat vytlačily předchozí formy lovu a sběru, vznikly podmínky pro sociální stratifikaci. Pastevci a zemědělci potřebovali jiné bohy a ochránce než původní lovci a sběrači. Jejich usedlý způsob života a shromažďování užitečných předmětů vyžadoval ochranu i oslavu. Výtvarné formy a vzory, jež se mezitím ustálily v kolektivní představivosti společenství, se na zdobených předmětech objevovaly i nadále a předávaly se z generace na generaci.

„Realistické i abstraktní prvky předmětů z tohoto období jsou pozoruhodně vkusné a současní umělci z nich neustále čerpají."

# Skythsko-sarmatská éra

V době bronzové a měděné začaly bronzové dýky, oštěpy a akinakes postupně vytlačovat nástroje železné. V devátém až sedmém století př. n. l. přišli z Asie do stepí severně od Černého moře (na jižní území dnešní Ukrajiny) Kimmerijci – kočovný národ, který pravděpodobně mluvil nějakým íránským jazykem. Početné obyvatelstvo často se stěhujících Kimmerijců, odkázaných na vozy a jurty, nakonec splynulo s krymským obyvatelstvem. Stali se prvním národem východní Evropy, o němž se dochovala písemná zmínka v Hérodotových *Dějinách*.

Kimmerijské nálezy na Ukrajině jsou převážně pohřebiště a jejich obsah (například Vysoká mohyla v Záporožské oblasti), včetně oděvů i koňských postrojů. Život Kimmerijců se točil kolem války; plenili nedaleká území v západní Asii a Anatolii. Jejich umělecké předměty byly výhradně užitkového charakteru, přestože je zdobily složité geometrické vzory z různých kombinací spirál, kosočtverců a čtverců (například předměty nalezené na pohřebišti v krymské vesnici Zolne). Monumentální sochařství reprezentují sochy bojovníků v podobě kamenných sloupů s vytesanými detaily výzbroje a oděvu, jako jsou opasky, dýky a bojové palice (například stéla nalezená na pohřebišti u vesnice Belogradec v dnešním východním Bulharsku).

Kimmerijce vytlačili Skythové, kočovníci íránského původu, kteří obývali střední Eurasii a východní Evropu. Ti se na území dnešní Ukrajiny začali stěhovat koncem osmého století př. n. l. z ukrajinských pontských stepí a od počátku sedmého do druhého století př. n. l. kultivovali rozsáhlý prostor mezi Dunajem a Dněprem, od pobřeží Černého moře až po bažiny dnešního Běloruska. Geogra-

**4**
**Pouzdro na luk (*gorytos*)**
**s výjevy ze života Achilla**
Kimmerijská kultura,
4. století př. n. l.
Zlato, 65 × 35 cm
Mohyla u Melitopolu,
Záporožská oblast
Klenotnice Národního muzea
dějin Ukrajiny, Kyjev

5
**Mísa s výjevy ze života Skythů ve vysokém reliéfu** (detail)
4. století př. n. l.
Zlacené stříbro
Výška 9,7 cm; průměr 10,5 cm
Hajmanova mohyla,
Záporožská oblast
Klenotnice Národního muzea
dějin Ukrajiny, Kyjev

fické rozšíření skythských zemědělských a pasteveckých kmenů lze vysvětlit rozdílným uspořádáním společnosti, jež s sebou přineslo i zánik příbuzenské hierarchie. Skythské kmeny uzavíraly spojenectví a vládly prostřednictvím jakési vojenské demokracie. To s sebou přineslo další sociální a hospodářské rozvrstvení skythských společenství a oddělení zemědělství a řemesel. Charakteristiku obydlí Skythů si můžeme představit na základě jejich pohřebních staveb. Šlo o konstrukce se střechou podpíranou kůly v zalesněných stepních oblastech (například pohřebiště v Čyhyrynu), katakomby pod mohylami v oblasti dolního Dněpru (například naleziště Čortomlyk, Solocha a Tovsta Mohyla ze čtvrtého až třetího století př. n. l.) nebo kamenné komory na Krymu.

Hlavními rysy skythského umění jsou geometrická výzdoba keramiky spojená s tradicí doby bronzové a „animální styl". Zobrazování zvířat a ptáků ve výzdobě zbraní a užitkových předmětů začalo převládat od Dněstru až po jižní Sibiř. K artefaktům v tomto stylu patří nejen předměty denní potřeby, ale i šperky, jež svědčí o postavení jejich nositele i tvořivosti a zručnosti řemeslníka.

Podobné zoomorfní projevy výtvarného myšlení pravděpodobně odrážely pocit, že kromě okolního světa existuje ještě jiný svět: takový, v němž se vzájemné vztahy zvířat podobají mezilidským vztahům. Zvířata se zobrazovala v symbolické podobě (kdy reprezentují člověka) i na oslavu lidské nadvlády (člověk je pak znázorněn jako krotitel zvířat). Zobrazování fauny na užitkových předmětech a ozdobách jednotlivců se stalo hlavním rozlišovacím znakem skythských šperků, jejichž nejpozoruhodnějším příkladem je zlatý pektorál nalezený v mohyle Tovsta Mohyla (obr. 6, s. 34).

Tento skythský zlatý pektorál o hmotnosti více než jeden kilogram byl nalezen v roce 1971 u města Pokrov v Dněpropetrovské oblasti na jihovýchodě Ukrajiny, nedaleko břehů řeky Dněpr. Tvoří jej dva prolamované půlměsíce s trojrozměrnými figurami, jeden středový půlměsíc zdobený spirálovým vzorem a všechny tři rámuje copánkový lem. Spodní, větší půlměsíc vyplňují postavy divokých predátorů lovících mírumilovné býložravce. Menší, horní půlměsíc znázorňuje domácí zvířata a Skythy věnující se hospodaření, výrobě oděvů a diskusím o událostech dne. Narativy ve spodní části pektorálu jsou tak v naprostém protikladu k těm v horní části, kde převládá mír, spokojenost a klid.

Skythské „báby", kamenné postavy umístěné na vrcholech mohyl, na rozdíl od pektorálu představují hrubě vytesané podoby vousáčů. Tento kontrast je až nepochopitelný, protože jejich tvůrci pocházeli ze stejné kulturní skupiny, jež měla na svém kontě vynikající řemeslné práce v animálním stylu. Nad touto záhadou kroutí badatelé hlavou dodnes.

Ve třetím století př. n. l. Skythové oslabili a ustoupili novým příchozím z východu: Sarmatům, národu, jehož náboženský život a umění vycházely z kultu koně. Zlaté náhrdelníky a křišťálové přívěsky, vyšperkované kovové pásy, karneolové šperky a náhrdelníky ze skleněných korálků, náušnice a náramky, které nosili sarmatští muži i ženy, jsou stejně dobře řemeslně zpracované jako skythské předměty, které v sobě nesly otisk helénské kultury.

6 (dole)
**Zlatý pektorál**
4. století př. n. l.
Zlato
Průměr 36 cm
Tovsta Mohyla, Pokrov, Dněpropetrovská oblast
Klenotnice Národního muzea dějin Ukrajiny, Kyjev

7a (protější strana vlevo)
**Náhrdelník**
7.–6. století př. n. l.
Zlato, chalcedon, sklo
Průměr přívěsku 5,7 cm
Hlodosy, Kirovohradská oblast
Klenotnice Národního muzea dějin Ukrajiny, Kyjev

7b (protější strana vpravo nahoře)
**Fragment náhrdelníku s přívěsky**
7.–6. století př. n. l.
Zlato, chalcedon, sklo
Přívěsek 7,8 × 4,5 cm
Hlodosy, Kirovohradská oblast
Klenotnice Národního muzea dějin Ukrajiny, Kyjev

7c (protější strana vpravo dole)
**Náhrdelník v podobě krouceného řetízku**
7.–6. století př. n. l.
Zlato, perla, achát
Délka 60 cm; průměr přívěsku 6,5 cm
Hlodosy, Kirovohradská oblast
Klenotnice Národního muzea dějin Ukrajiny, Kyjev

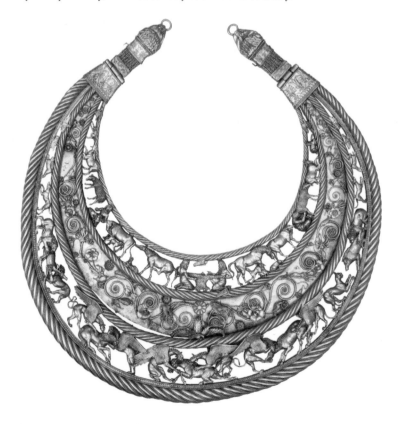

# Antické městské státy
# pontské oblasti

Od konce sedmého do šestého století př. n. l. zakládali na pobřeží Černého moře i v lagunách a deltách při ústí řek velké množství měst a menších osad řečtí kolonisté. Umění a kulturní formy starověkého Řecka a Říma ukrajinskou kulturu významně ovlivnily. V helénských koloniích v pontské oblasti, v podstatě nezávislých městských státech, vznikala sídla, jež byla vzorem urbanistického plánování a racionálního uspořádání. Do chaosu dřívějších společností tak byl vnesen kulturní řád a vznik těchto antických městských států usnadnil soužití různých národů na březích Kerčského průlivu (tehdy známého jako Kimmerijský Bospor), na západním Krymu i v dolních údolích řek Bug a Dněstr.

V pátém století př. n. l. založili přistěhovalci z města Hérakleia Pontiké obec Chersonésos (poblíž dnešního Sevastopolu). Černomořské městské státy se brzy rozrostly ve významná obchodní centra a díky silným vazbám na Řecko a Řím se z černomořských kolonií staly klíčové kulturní základny. Tyto vnější vlivy formovaly kulturní vývoj místního mnohonárodnostního obyvatelstva, jehož vlastní lidové umělecké tradice zase přetvářely lokálně vyráběné helénské předměty. Zemědělství (a vinařství), chov zvířat, rybolov a řemesla (zpracování kovů, hrnčířství, lití bronzu, tkalcovství, domácí sochařství, výroba šperků a stavebnictví) vytvořily ekonomickou základnu pro růst měst uvnitř hradeb i před nimi. Existovaly také stovky starověkých venkovských sídel. Vykopávky v údolí dolního Bugu, na západním a východním Krymu a na Tamaňském poloostrově odhalily pozůstatky obydlí a opevnění i pomocné stavby a pohřební komory.

Z nejvýznamnějších helénských měst byly nejzevrubněji prozkoumány Chersonésos a Olbia. Na vrcholu helénské éry (v pátém až třetím století př. n. l.) dominovala všem městům *akropole* (horní město), jež se nacházela na vyvýšeném místě a byla uspořádána kolem *agory* (veřejného náměstí) obklopené amfiteátry, dalšími veřejnými budovami a mramorovými památníky. Chrámy a oltáře se stavěly na posvátných místech zvaných *temenos*. Zbytek prostoru uvnitř městských hradeb vyplňovaly obytné čtvrti s běžnými budovami v řeckém stylu. Obce měly vysokou životní úroveň a usilovaly o rovnováhu mezi odpočinkem a prací – *otium* a *negotium*. Svědčí o tom záviděníhodná tradiční helénská architektura (v dórském a jónském slohu) veřejných i soukromých budov, jednotlivé příklady dvoupatrových domů řecké aristokracie s peristylovými dvory zdobenými mozaikami a freskami i kvalita běžně používané keramiky a šperků.

8
**„Bazilika 1935", Chersonésos**
(dva pohledy)
6. století n. l.
Mramor
Půdorys budovy 32,5 × 18,5 m
Krym, poblíž Sevastopolu

Z helénského dědictví této oblasti jsou pro nás dnes nejzajímavější dochované nástěnné malby – zejména proto, že v jižní a západní Evropě se žádné z tohoto období nedochovaly. Nástěnné malby v pohřebních komorách mají sice kořeny v antické tradici, vykazují však i nové prvky spojené s místní malířskou školou. Malíři z oblasti Kimmerijského Bosporu si posvátné události vykládali po svém, zobrazovali je například pomocí běžných detailů a realistický způsob kombinovali se zdobností.

Památkou celosvětového významu je Déméteřina krypta z prvního století př. n. l., jež byla objevena v Kerči roku 1895. Kamenem obloženou pohřební komoru zdobí malby květin, girland a kompozic ilustrujících mýtus o dceři bohyně země Démétér, Persefony, kterou unesl bůh podsvětí Hádés. Vyobrazení zarmoucené tváře Démétér na jedné stěně a Hádés odvážející Persefonu na svém voze na druhé připomínají fragmenty filmového pásu: matka se dívá na dceru, zatímco Hádés nespouští z Démétér oči. Skutečnost, že se na malbách v hrobce prolíná pozemské bytí a podsvětí, život a paměť, naděje a beznaděj, jen zdůrazňuje, že i v tak starém výtvarném díle se realistický pohled na svět protíná s metafyzickým.

9
**Scéna Hádova únosu Persefony
v lunetě kerčské Déméteřiny krypty**
Florální styl, počátek 1. století př. n. l.
Freska
Kerč, Krym

„Skutečnost, že se na malbách v hrobce prolíná pozemský život i podsvětí, život a paměť, naděje i beznaděj, jen zdůrazňuje, že i v tak starém výtvarném díle se realistický pohled na svět protíná s metafyzickým.“

# Dávní Slované

Prvotní Slované byli od prvního století známí jako Venetové, Antové, Sklavíni a podobně. Rané slovanské umění bylo úzce spjato s jejich vírou, zvyky a rituály a převládá v něm výzdoba běžného náčiní, oděvů a zbraní.

Nejstarší slovanská sídliště z druhého a prvního století př. n. l. byla objevena na Pylypenkově hoře u Kaniva (v severní části střední Ukrajiny) a ve vesnici Zarubynci u Perejaslavi (jižně od Kyjeva) a souhrnně se označují jako zarubiněcká kultura. Opevněná sídliště jsou obehnána valy a dřevěnými ploty se špičatými kůly. Budovy se stavěly ze dřeva na kamenných základech a pozůstatky pohanských posvátných míst byly nalezeny také v Kyjevě. Pohanství v té době nebylo ani tak náboženstvím, jako spíše pohledem na svět – uceleným pojetím vesmíru.

Výtvarná praxe prvních Slovanů úzce souvisela s jejich představou o estetice každodennosti. Vyřezávali a vyšívali různé domácí předměty, zbraně, nástroje a oděvy, které stejně jako bronzové šperky i klenoty z drahých kovů zdobili odvážnými, jedinečnými vzory. Právě v této sféře zdobnosti se uplatňovala nevyčerpatelná fantazie i mistrovství slovanských řemeslníků. Pohanská víra viděla projevy božskosti v přírodních silách, jež se promítaly do provedení a rozvržení zdobných uměleckých děl, která tak vyžadují nejen prvoplánové porozumění, ale i výklad jejich symboliky.

Kreativita Slovanů, kteří obývali oblasti podél středního Dněpru, je zřejmá u mnoha bronzových předmětů, jako byly brože, spony a náušnice, zdobených barevným smaltem, jež zhotovili příslušníci černjachivské (česky též černjachovské) kultury ve druhém až čtvrtém století. Kontrast mezi jednoduššími artefakty zarubiněcké kultury a technologicky složitějšími výrobky kultury černjachivské, jež se neobešla bez vlivu germánských kmenů, je pozoruhodný. Výjevy zvířat jsou sice stylizované, ale odvážné a expresivní (například ty z Martynivského pokladu ze šestého století). V pokladech ze sedmého století se na brožích, přezkách i náramcích objevují tenké kovové

„Výtvarná praxe prvních Slovanů
úzce souvisela s jejich představou
o estetice každodennosti.“

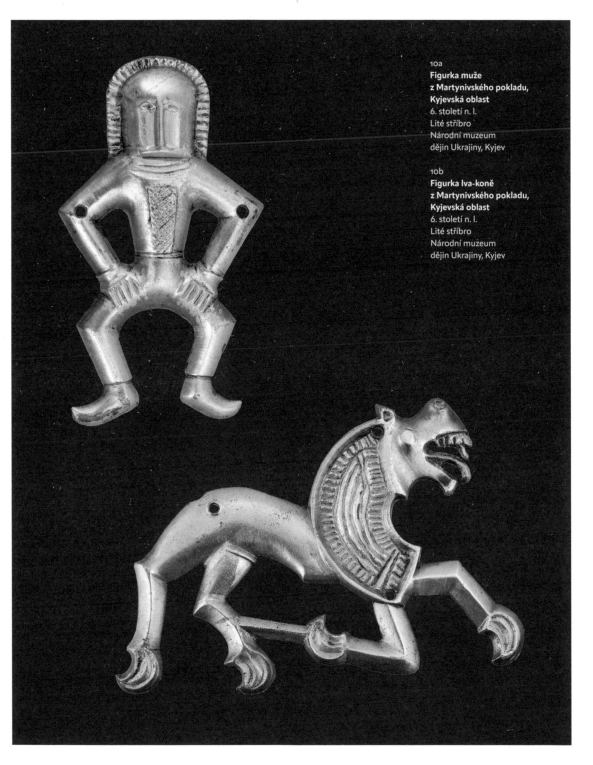

10a
**Figurka muže
z Martynivského pokladu,
Kyjevská oblast**
6. století n. l.
Lité stříbro
Národní muzeum
dějin Ukrajiny, Kyjev

10b
**Figurka lva-koně
z Martynivského pokladu,
Kyjevská oblast**
6. století n. l.
Lité stříbro
Národní muzeum
dějin Ukrajiny, Kyjev

reliéfy „tančících mužů", ptáků a fantastických zvířat zhotovené tak, aby se od látky či kůže daly oddělit. Na řadě z nich se složitě proplétají podoby lidí a zvířat. Toto prolínání dvou sfér – lidské a zvířecí, které lze vidět i na předmětech ze skythsko-sarmatského období – může svědčit o tom, jak synkreticky vnímali první Slované sami sebe ve světě, kde se někteří tvorové plazí, jiní skáčou a další létají, zatímco lidé je loví, nebo se je snaží ochočit, a pokouší se tak objevit smysl života. Staroslovanský pohled na svět odhaluje ve své úplnosti soška známá jako Zbručský idol pocházející ze sedmého až devátého století. Horní část postavy představuje nebesa, uprostřed je znázorněna Země obydlená lidmi a dolní část vyobrazuje podsvětí plné podzemních postav držících Zemi a lidi na ní. Nahoře tak vidíme postavy v nevzrušených, velkolepých pózách a uprostřed lidi, kteří zřejmě tančí a drží se v kruhu za ruce; podsvětní postavy se pak tváří rozhněvaně a děsivě. Vyobrazení jedinců na sošce jsou obecná a redukovaná na základní rysy. Reliéfy na Zbručském idolu představují nejen slovanský panteon, ale i sakrální a prostorový model pohanského světa.

Četné předměty vytvořené prvními Slovany svědčí o vytříbené a poetické výtvarné kultuře těchto kmenů, jež jim pravděpodobně později usnadnila přijetí nové křesťanské estetiky. Ta zase přejala již existující folklorní obrazy a představy.

11
**Zbručský idol (zobrazení ze všech čtyř stran)**
Cca 7.–9. století n. l.
Vápenec
Výška 2,67 m
Sataniv na řece Zbruč,
Chmelnycká oblast
Archeologické muzeum
v Krakově, Polsko

„Reliéfy na Zbručském idolu představují nejen slovanský panteon, ale i sakrální a prostorový model pohanského světa."

# Byzantská éra – ikonomalba

Slované (včetně Sklavínů a Antů) se na evropské historické scéně silně prosadili v období od pátého do osmého století. Na území dnešní Ukrajiny podléhali dvěma hlavním kulturním proudům. Ten první přicházel z jihu, z Byzantské říše představující v době Justiniána Velikého (v šestém století) vrchol evropské kultury, o který usilovaly i jiné společnosti. Druhý proud přicházel z Asie a nebyl homogenní, šlo spíše o pestrou směsici různých kultur – výbojných (Hunů) či mírumilovnějších (Syřanů) – jež se v nestejných obdobích rozvíjely v různých

12
**Panna Marie s dítětem**
Druhá polovina 6. století
Enkaustika
Národní muzeum umění Bohdana
a Varvary Chanenkových, Kyjev

13
**Svatý Jan Křtitel**
Druhá polovina 6. století
Enkaustika
Národní muzeum umění Bohdana
a Varvary Chanenkových, Kyjev

částech Eurasie. Byzantské i blízkovýchodní vlivy si k prvním Ukrajincům našly cestu díky arabským a byzantským obchodníkům i prostřednictvím bezprostředních a pravidelných střetů s nomády z jižních ukrajinských stepí. Tyto kočovné kmeny sehrály významnou roli při rozšiřování blízkovýchodních uměleckých vlivů na území dnešní Ukrajiny, kde se jejich vzory, styly a formy mísily a křížily s byzantskými trendy. Ani to však Slovanům v šestém a sedmém století nezabránilo několikrát překročit Dunaj s nepřátelskými úmysly dorazit k hradbám Konstantinopole.

Díky sociálnímu rozvrstvení, rozvoji zemědělství a řemesel, jasné dělbě práce a pravidelnému obchodování s Byzancí a blízkovýchodními státy se ve slovanském světě vytvořily podmínky, kdy vyrobené věci přebývaly. Výrobky vlastnili jednotlivci na vrcholu společenské hierarchie a nakládali s nimi tak, aby z nich měli osobní prospěch. Tento vývoj vedl k úpadku rané kmenové společnosti a obchodní vazby mezi oblastmi podél Dněpru a Východořímskou říší tento proces jen urychlily. Slované si na rozdíl od Byzance nevytvořili silnou centralizovanou monarchii nebo samostatnou třídu šlechticů, dělbou práce v jejich kmenech však vznikla třída umělců, kteří se odlišovali od obecné skupiny řemeslníků.

Kultura ukrajinské pontské oblasti sice přežila dramatické změny vyvolané Góty, jejichž tažení proti Římské říši přispělo k jejímu pádu, rozpad antického světa, který se transformoval v křesťanský, se jí však nevyhnul. Křesťanství dorazilo na jih Ukrajiny z Byzance téměř sedm set let před christianizací Kyjeva koncem desátého století. Na nikajském koncilu v roce 325 zastupoval samostatný bosporský episkopát biskup Kadmos. Podle legendy ovšem na Krymu a v Kyjevě poprvé kázal apoštol Ondřej již v prvním století. Z ikon vzniklých mezi šestým a osmým stoletím vynikají obrazy vytvořené technikou enkaustiky, kterou křesťanští malíři zdědili po svých předchůdcích. Ikony *Panna Marie s dítětem* (obr. 12, s. 44), *Sv. Jan Křtitel* (obr. 13, s. 45) a *Svatí Sergius a Bakchus* (obr. 14), namalované v Byzanci volným, až impresionistickým způsobem, se dnes nacházejí v Národním muzeu umění Bohdana a Varvary Chanenkových v Kyjevě. Zpracování detailů na těchto dílech svědčí o živé návaznosti na klasické antické umění. Malířskou technikou zvanou enkaustika, při níž se pigmenty mísí s horkým tekutým voskem, vzniká mnohovrstevnatý efekt: tmavě karmínové roucho Panny Marie a Ježíška v kombinaci s matným

**14**
**Svatí Sergius a Bakchus**
Konec 7. – začátek 8. století n. l.
Enkaustika
Národní muzem umění Bohdana
a Varvary Chanenkových, Kyjev

„Kočovné kmeny sehrály významnou roli při rozšiřování blízkovýchodních uměleckých vlivů na území dnešní Ukrajiny, kde se jejich vzory, styly a formy mísily a křížily s byzantskými trendy."

zlatem vyvolává dojem, že postavy vystupují z pozadí a přibližují se k divákovi. Vysoká úroveň vyobrazení sv. Jana a byzantský styl oděvu vedly badatele k tomu, že ji spojovali s konstantinopolskou ikonopiseckou školou. Výrazná tvář Jana Křtitele připomíná východokřesťanského poustevníka, což naznačuje, že ikona může být dílem výtvarníka z Alexandrie. *Svatí Sergius a Bakchus* zase odpovídají palestinsko-syrské ikonomalbě. Uctíváni byli zejména v Konstantinopoli a zobrazeni jsou zepředu, s jasnými, přesnými obrysy a v živých, expresivních barvách. Přestože *Svatí Sergius a Bakchus* vykazují typičtější rysy ikonomalby než *Panna Marie s dítětem*, oba obrazy vycházejí stejným, organickým způsobem z antických tradic, což je zřejmé z tvarování světla a stínu, bohatosti odstínů i celkové emocionality, která je na hony vzdálená asketickému vyobrazení Jana Křtitele. Dědictví klasické antiky bude spolu s byzantskou ikonomalbou ovlivňovat ukrajinské výtvarné umění i v následujících obdobích.

**Keramický džbán**
Počátek 20. století
Opišnja, Poltavská oblast
Hlína; nástřepí, glazura
Výška 20,4 cm
Muzeum Ivana Hončara, Kyjev

**Džbán dýňového
tvaru s uchem**
Vasyl Šostopalec, 1868
Volyňská oblast
Hlína; nástřepí, glazura
Výška 31,9 cm
Muzeum Ivana Hončara, Kyjev

**Párové džbány s rukojetí**
1846
Podolí
Dřevo, hlína; nástřepí, glazura
výška 21 cm
Muzeum Ivana Hončara, Kyjev

*Keramika na Ukrajině má dlouhou historii. Až do roku 1861 rolníci vyráběli
dekorativní a užité umění nejen pro osobní potřebu, ale i jako vazalskou daň
majitelům půdy. Podle historických dokumentů z roku 1834 musel poddaný hrnčířský
mistr za skromnou mzdu ročně vyrobit 10 400 hliněných kachlů a 15 600 nádob.*

**Keramický džbán**
Počátek 20. století
Střední podněpří, Poltavská oblast
Hlína; nástřepí, glazura
Výška 15,5 cm
Muzeum Ivana Hončara, Kyjev

**Džbán s uchem**
20. století
Obec Poljana, Zakarpatská oblast
Hlína; nástřepí, glazura
Výška 19,8 cm
Muzeum Ivana Hončara, Kyjev

*V průběhu staletí se s keramikou obchodovalo nejrůznějšími způsoby. K těm nejstarším patřila nepeněžní směna za potraviny. Například v Poltavské oblasti bylo v devatenáctém století zvykem nasypat do prostého hrnce tolik obilí, kolik se do něj vešlo, a pak jej za toto množství vyměnit.* Viz s. 242.

# KYJEVSKÁ RUS

*(9.–13. století)*

**Christian Raffensperger**

S středověkým dějinám východní Evropy dominuje politický útvar známý jako království Rus, podle hlavního města nazýván Kyjevská Rus. Jeho centrem bylo dnešní ukrajinské hlavní město Kyjev, jeho hranice se však v různých dobách rozšiřovaly a zahrnovaly části několika dnešních východoevropských zemí včetně Ruska, Běloruska a Polska. Kyjevská Rus má své počátky v období, kdy ve východoevropských řekách hledali a těžili nerostné suroviny Skandinávci, v historických pramenech často nazývaní Varjagové nebo Varangové, kteří pátrali po jantaru, kožešinách, stříbře a lidech, které by mohli zotročit. Když začaly zdroje stříbra vysychat, prozkoumávali další významnou řeku, Dněpr, a pronikli tak až k Černému moři a navázali styky s Konstantinopolí a Byzantskou říší. Kyjev byl před dobytím Skandinávci a předtím, než se stal hlavním městem staré Rusi, součástí Chazarska, jehož vládci sídlili v Itilu na dolním toku Volhy. Chazaři byli zvlášť fascinující skupina kočovníků, kteří vytvořili napůl nomádský stát a jejichž elita přibližně v osmém století konvertovala k judaismu.

V souvislosti s těmito prvními vzájemnými vlivy vznikl nejstarší písemný pramen Kyjevské Rusi, *Pověst dávných let* (neboli *Nestorův letopis*). Vypráví o tom, jak různé skupiny Slovanů, Baltů a Finů v devátém století „pozvaly" Rurika a jeho dva bratry (příslušníky skupiny Skandinávců známé jako „Rus"), aby vládli místnímu obyvatelstvu. Toto takzvané pozvání si spolu se samotným názvem země mýtického zakladatele říše Rurika mnohem později vymyslela královská rodina a její kronikáři a výrazně ovlivňuje naše chápání Rusi a jejího místa v Evropě.

Vznik Kyjevské Rusi se často klade do roku 882, kdy město Kyjev obsadil „ruský" vůdce jménem Oleg (ukrajinsky Oleh, ve staroseverštině Helgi) a spojil ho se svou základnou na sever od Novgorodu. Obě města se stala na více než dvě století dvěma póly Rusi a jejich význam stojí za zmínku už proto, že království Rus se stalo historickým předchůdcem jak Ukrajiny, tak Běloruska i Ruska a jeho území sahalo také do dnešního Polska.

K nejznámějším vládcům Kyjevské Rusi patřila Olga (ukrajinsky Olha), později prohlášena za svatou. Byla vdovou po Igorovi (ukrajinsky Ihor), vládci Kyjevské Rusi, a v polovině desátého století se stala regentkou svého nezletilého syna Svjatoslava. Její panování bylo významné hned z několika důvodů. Za prvé měli všichni dosavadní vládci Rusi skandinávská jména: Oleg (Helgi), Igor (Ingvar) i Olga (Helga). Olga a její muž však svému synovi dali jméno slovanské (Svjatoslav), a tím se tato skandinávská vládnoucí rodina kulturně přizpůsobila místnímu obyvatelstvu, jež bylo v Kyjevě z velké části slovanské. Za druhé je Olga dobře zastoupena v pramenech, neboť osobně odcestovala s velkou skupinou kupců do Konstantinopole, vedla jednání s byzantským císařem a na oplátku dostala četné dary. Za třetí šlo o první křesťanskou vládkyni

Rusi. Obvykle se má za to, že ke křesťanství konvertovala v Konstantinopoli a přijala křestní jméno Helena. Pokusila se také přivést biskupa a kněze ze Svaté říše římské, kteří měli obrátit její zemi na víru. Přestože jí tento tah nevyšel, svědčil o tom, že si uvědomovala místo Rusi mezi dvěma velkými říšemi a její postavení v Evropě.

Christianizace celé Rusi musela počkat až do vlády Olžina vnuka Vladimíra (ukrajinsky Volodymyr) na konci desátého století. V *Pověsti dávných let* je zaznamenáno několik příběhů o obrácení a badatelé sestavili ještě jeden. Najdeme mezi nimi také „výběr víry", kdy na Rus přišli představitelé judaismu, islámu a (západního a byzantského) křesťanství, aby o svých náboženstvích Vladimírovi vyprávěli. Při této příležitosti údajně zazněl jeho bonmot, že na islám přestoupit nemůže, protože „obyvatelé Rusi rádi pijí". Další příběh pojednává o vyslání emisarů, kteří se měli na různých místech zúčastnit bohoslužeb. V Konstantinopoli navštívili chrám sv. Sofie a prohlásili, že „nevěděli, zda se ocitli na zemi či na nebi". Podle badatelů však příběh o obrácení začíná tím, že Vladimír poslal své žoldnéře byzantskému císaři Basileiovi II. výměnou za dohodu o sňatku s Basileiovou sestrou Annou Porfyrogennétou. Po svatbě s Annou přijal Vladimír křesťanskou víru, a když společně odcestovali do Kyjeva, následovala christianizace či alespoň pokřtění obyvatel města. Vladimír Kyjevanům nařídil, aby se shromáždili na břehu Dněpru k hromadnému křtu.

Za zlatý věk Kyjevské Rusi je často považována vláda Vladimírova syna Jaroslava Moudrého a jeho ženy Ingegerdy Švédské. Po celé zemi rozeslal biskupy, nechával stavět kamenné budovy a chrámy, lidé se začali vzdělávat, zakládaly se kláštery a královská rodina uzavírala sňatky s evropskou šlechtou. V tomto zlatém věku se Kyjevská Rus rozšířila a coby největší stát středověké Evropy se táhla od Baltu na severu až po Černé moře na jihu, od hranic s Polskem a Uhrami na západě po řeku Volhu na východě. Jeden tehdejší německý kronikář Kyjev dokonce nazval „soupeřem o konstantinopolské žezlo".

Ve dvanáctém století vznikly na Rusi různé správní oblasti, přičemž každá usilovala o ovládnutí Kyjeva a vybudování vlastního mocenského centra. Střediskem Rusi bylo již od jejího založení Novgorodsko-severské knížectví a jeho obyvatelé si v tomto období začali aktivně vybírat vládce a nově a samostatněji se podílet na širší politice země. Na východě, ve Vladimirsko-suzdalském knížectví mezi řekami Volhou a Okou, vytvořili nové mocenské centrum Jurij Dolgorukij a jeho syn Andrej Bogoljubskij. Haličsko-volyňské knížectví na jihozápadě získávalo na vážnosti díky trvalým vazbám na uherské a polské vládnoucí rody i díky přetrvávajícím vazbám na kyjevský trůn. Všechna knížectví byla tehdy pod nestabilní, většinou kyjevskou nadvládou, nakonec se však odštěpila a na počátku třináctého století se vydala vlastní cestou.

V roce 1204 vyplenila Konstantinopol čtvrtá křížová výprava. Tento útok latinských křižáků na východokřesťanské město připravil půdu pro rozkol mezi církvemi, který do té doby nebyl ještě tolik patrný. Prohloubil se ovšem v roce 1222, kdy papež Honorius III. nařídil uzavřít východokřesťanské kostely v západních zemích a obracení pravoslavných národů na katolickou víru. Poslední kapkou bylo vyhlášení křížových výprav proti Rusi ve čtyřicátých letech třináctého století, jež vyústilo k útokům latinských křižáků na novgorodskou oblast, a nakonec k jejich porážce Alexandrem Něvským. Násilnosti vedly k vymezení katolické a pravoslavné křesťanské identity, což zapříčinilo vznik představy pravoslavné Evropy oddělené od západní Evropy latinské a přispělo k chápání moderní východní Evropy jako „jiné".

V té době docházelo také k útokům z východu. Mongolové přišli Kyjevskou Rus dobývat koncem třicátých let dvanáctého století a začali si ji podmaňovat od severovýchodu u Rjazaně. Nakonec došli až ke Kyjevu, který vydrancovali roku 1240 na den svatého Mikuláše (6. prosince). Vyplenění Kyjeva znamená pro mnohé konec Kyjevské Rusi. Pak už různé správní oblasti fungovaly nezávisle na sobě a Kyjev neměl rozhodující vliv na žádnou z nich. Mongolové vládli Kyjevské Rusi valnou část následujících dvou staletí, přestože tehdy nereprezentovali jedno mocenské centrum. Koncem třináctého a počátkem čtrnáctého století začala na bývalá území Rusi expandovat Litva, která pohltila oblasti podél západní řeky Dviny a v údolích Dněpru. Vliv Litvy a později i polsko-litevského soustátí bude utvářet další etapu dějin Rusi. Její území se v tomto období, často označovaném jako ruthénské, rozvíjelo v rámci Polsko--litevské unie, jež má jasnější vazby na dnešní ukrajinské území a ukrajinskou identitu, jak ji známe dnes.

(naproti)
**Chrám svaté Sofie** (interiér)
Fresky z 11. století
Kyjev

# Sňatky z rozumu

Kyjevská Rus byla silně provázána se zbytkem středověké Evropy. Do velké míry toho dosáhla řadou domluvených sňatků mezi členy vládnoucího rodu s jinými evropskými královskými rodinami a elitami. Po prvním významném dynastickém sňatku mezi Vladimírem a Annou Porfyrogennétou z Byzance vzniklo několik dalších svazků. Zejména děti Jaroslava a Ingegerdy Švédské se hojně ženily a vdávaly po celé Evropě s příslušníky královských rodin z Francie, Uher, Norska a Anglie, zatímco pozdější králové měli, jak víme, polské, německé a byzantské nevěsty.

Tyto sňatky byly součástí politického procesu, kdy různé jazyky, zvyky a kultury v Evropě zaváděli jednotlivci. Polská kněžna Gertruda, manželka Jaroslavova syna Izjaslava, si na Rus přivezla knihu žalmů, kterou pravděpodobně zdědila po své německé matce. Na Rusi se tzv. *Egbertův žaltář* (ukrajinsky *Gertrudin kodex*) šířil díky kyjevské dílně a rozšířil se o zvláštní modlitby pro Gertrudu a iluminace, které modlitby doprovázely. Obraz *Kristus Pantokrator* (obr. 1) znázorňuje korunovaci Gertrudina syna Jaropolka a jeho ženu Kunhutu. Iluminace představují jedny z mála vyobrazení těchto staroruských postav a zároveň svědčí o prolínání kultur: byzantský styl oblékání a zobrazování se v nich mísí s kyjevsko-ruskou oblibou výrazných barev – zejména zlaté a modré, jak je vidět na staroruském přihrádkovém smaltu (cloisonné) – a latinských symbolů označujících jednotlivé evangelisty. Stejná kulturní syntéza je patrná na ilustraci svatého Lukáše z *Ostromirova evangeliáře* (obr. 2, s. 58), k níž by bez vzájemné interakce těchto elit nedošlo.

Zajímavým aspektem kulturního přenosu jsou jména. Sňatkem Jaroslavovy dcery Anny s Jindřichem I. Francouzským se v královské linii Kapetovců s prvorozeným synem objevilo jméno Filip a stalo se jejím pilířem. Sňatek Vsevoloda (dalšího z Jaroslavových synů, který vládl Kyjevu) s byzantskou šlechtičnou přinesl jejich synovi přídomek „Monomach" podle jména rodu nevěsty – Monomachů. Sám Monomach se oženil s Gythou, dcerou posledního anglosaského krále Anglie Harolda Godwinssona, a zatímco na Rusi byl jejich syn znám jako Mstislav, ve skandinávských pramenech, kde se objevuje pravidelně, vystupuje jako Harald. Mstislavova dcera Ingiborg nakonec

1
**Kristus Pantokrator**
(***Egbertův žaltář / Kodex 136***)
Cca 1078–86/87
Museo Archeologico Nazionale,
Cividale del Friuli, Itálie

„Sňatky byly součástí politického procesu, kdy různé jazyky, zvyky a kultury v Evropě zaváděli jednotlivci."

ve dvanáctém století zavedla v dánském královském rodu jméno Volodymyr, když svého syna pojmenovala Valdemar. Tyto známky kulturního přenosu v podobě jmen nám umožňují pochopit důležitou roli žen ve středověkých evropských rodinách a v kultuře.

Pohyby elit často zastínily pohyby ostatních lidí. Když kněžna z Kyjevské Rusi odjela do jiného království, vzala si s sebou doprovod, jak to udělala například Vsevolodova dcera Eupraxie ve druhé polovině jedenáctého století, kdy odcestovala do Svaté říše římské. Konvenční popis jejího působivého doprovodu vyjmenovává velbloudy, vzácné látky a drahokamy a nesčetné další bohatství. To vše by jedna mladá žena neunesla, měla tedy s sebou strážce, dvorní dámy, služebnictvo všeho druhu, a vzhledem ke svému postavení také osobního zpovědníka. Tato svita tvořila malý dvůr, centrum kyjevsko-ruské kultury v jiném království. Jedním z mála dochovaných artefaktů svědčících o existenci žen, jež nepatřily k elitě, jsou růžové břidlicové přesleny. Fialová břidlice sice pocházela z oblasti Kyjevské Rusi, tyto přesleny však byly nalezeny na řadě míst ve středověké Evropě. Tehdejší ženy je běžně používaly při spřádání nití: můžeme si představit služebnou, která jej se svou paní vozila všude, a šířila tak materiální kulturu Kyjevské Rusi.

# Umění a řemesla

Vykopávky valné části materiální kultury, která se z Kyjevské Rusi dochovala, probíhaly na jejím území, tedy v dnešní Ukrajině, Rusku a zejména Bělorusku. Bohatství nálezů svědčí o tom, že různí řemeslníci vyráběli rozmanité předměty v celém království.

Když po východoevropském říčním systému poprvé připluli skandinávští cestovatelé, hledali mimo jiné jantar. Tento vzácný materiál se používal ve šperkařství v celé středověké Evropě a hlavním zdrojem jeho vývozu se stalo pobřeží Baltského moře. Na Rusi, stejně jako ve Skandinávii, se z jantaru často zhotovovaly korále a mnoho jantarových i skleněných korálů se dochovalo jednotlivě i na náramcích či náhrdelnících. Korále na zde vyobrazených náhrdelnících byly zřejmě vyrobeny na Rusi, kde existovaly výrobní dílny na různých místech, zejména v Kyjevě.

V centrech řemesel v Novgorodu a Kyjevě se vyráběly šperky a rytiny, které zůstávaly na Rusi, i ty, jež se vyvážely do zbytku Evropy. V německém Hildesheimu se například ve dvanáctém století objevil kříž se slovanským

4 (níže)
**Korálové náhrdelníky**
10.–11. století
Pohřebiště u vesnice
Brovarky, Poltavská oblast
Národní muzeum
dějin Ukrajiny, Kyjev

5 (naproti, vpravo)
**Náramek v bulharském stylu**
14. století
Vasylycký poklad, Čerkaská oblast
Národní muzeum
dějin Ukrajiny, Kyjev

6 (naproti, vlevo)
**Zlaté přívěsky, tzv. kolty**
11.–12. století
Přihrádkový smalt, zlato
Národní muzeum
dějin Ukrajiny, Kyjev

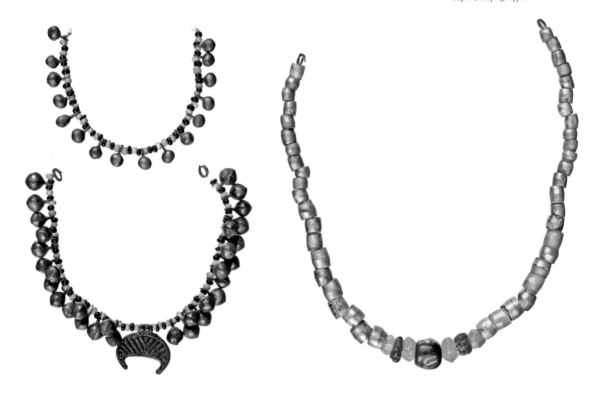

nápisem vyrobený v Novgorodě. Řada kovových předmětů na Rusi vyrobených nebo tam dovezených byla bohužel v průběhu let s největší pravděpodobností roztavena na platidla. Při vykopávkách se ovšem stále objevují, a to po celé bývalé Kyjevské Rusi. Příkladem je stříbrný náramek v bulharském stylu ze čtrnáctého století (obr. 5).

Jedním z nejcharakterističtějších ornamentů Kyjevské Rusi, který často najdeme v muzeích, jsou takzvané kolty. Tyto přívěsky zdobily pokrývku hlavy, obvykle z obou stran obličeje. Mají dutý střed, do něhož se vkládal hadřík napuštěný parfémem, pravděpodobně proto, aby se k nositelce linuly libé vůně. Předpokládá se, že obvykle patřily k ženskému oděvu, dochovala se však i vyobrazení mužů s kolty, například v Srbsku z období pozdního středověku. Přívěsky k ozdobě skrání se na Kyjevské Rusi zpravidla vyráběly ze zlata s výzdobou z přihrádkového smaltu – tato typická volba totiž zdůrazňovala jasné barvy, s nimiž se setkáváme také u rukopisných iluminací. Smaltované vzory na přívěscích mají na zadní straně obvykle geometrický tvar, zatímco na přední mohou mít zobrazení sirén, stromu života či různé jiné motivy.

Při archeologických vykopávkách byly objeveny nejen tyto předměty, ale i pracovní nástroje, například četné kamenné formy používané k výrobě přívěsků, náušnic, křížků a podobně. Skutečnost, že se jich zachovalo tolik, svědčí o tom, že obchod s tímto zbožím kvetl a v Kyjevě a okolí se nacházelo množství výrobních center. Vzhledem ke stopám kovů lze rovněž říci, že tyto předměty se nevyráběly vždy ze zlata, ale i z méně vzácných alternativních materiálů, z nichž se finální výrobky nedochovaly. Důležité je si uvědomit, že umělecká kultura nebyla jen záležitostí elity, a přestože dochované příklady mohou být z vysoce kvalitního zlata a může jít o jemné práce zhotovené technikami niello či cloisonné, většina řemeslných výrobků se pravděpodobně vyráběla pro běžné obyvatele Kyjeva.

# Propojený svět

Kyjevskou Rus s ostatními zeměmi západní Eurasie pevně spojovaly rozsáhlé obchodní sítě. První skandinávští objevitelé, kteří připlouvali po východoevropských řekách, se setkali se stříbrnými dirhamy – mincemi pocházejícími z Abbásovského chalífátu, islámského státu, jehož hlavním městem byl Bagdád. Stříbrné dirhamy byly oblíbeným platidlem díky svému obecnému využití: platilo se jimi nejen na Blízkém východě, ale i v okolí Kaspického moře a obchodovalo se s nimi i na řece Volze, kde si jich Varjagové všimli poprvé. Odvezli si je domů do Skandinávie a na území, jež se později stalo Kyjevskou Rusí, zbudovali základny, kde shromažďovali další mince i kožešiny, jantar a otroky. Postupem času vznikaly napodobeniny dirhamů (obr. 7) s hatmatilkou, která arabštinu jen imituje. Napodobením působivého platidla získávala daná mince na hodnotě a na stejné důvěryhodnosti jako původní dirham. Kopírování arabského písma pak svědčí o tom, že podoba písma měla v tomto období větší moc než samotný obsah psaného textu, a písmo se tak v jistém smyslu považovalo za „magii".

Před Skandinávci vládl Kyjevu turkický národ Chazarů. V Itilu, jenž byl hlavním městem Chazarska až do desátého století, žili muslimové, křesťané, židé i pohané a každá z těchto skupin obyvatel prý měla vlastní soudce, kteří pomáhali udržovat právo a pořádek. Proslulý „Kyjevský dopis" ze souboru fragmentů nalezených v bývalé káhirské genize, tedy skladišti synagogy Ben Ezry v Káhiře, obsahuje značku vypovídající o tom, že jej přečetli místní chazarští úředníci. Soubor textů je největší sbírka středověkých židovských a fátimovských dokumentů. Používání hebrejštiny pro státní správu nám umožňuje porozumět tomu, proč chazarská elita konvertovala k judaismu a do jaké míry bylo toto náboženství (a hebrejština) součástí státního aparátu.

Kyjev jako hlavní město Rusi udržoval kontakty na rozsáhlém území. Obchodníci do města proudili několika branami. Zlatou bránu (jejíž název byl přejatý od jejího konstantinopolského protějšku) směřující na jih lze chápat jako

7
**Imitace dirhamu**
9.–10. století
Stříbro
Sumská oblast

8
„**Kyjevský dopis**" (detail)
10. století
Univerzitní knihovna v Cambridge

9 (*na následující dvoustraně*)
**Zlatá brána (Zoloti Vorota)**
11. století; přestavěna v roce 1982
Kyjev

svědectví obchodu s Byzantskou říší. Po rekonstrukci na základě archeologických nálezů je zjevné, že byla mohutná a svou velkolepostí musela působit na každého, kdo se k městu blížil. Na vrcholu brány stál plně funkční kostel, který sloužil místní obci, jehož rolí však bylo také posvěcení opevnění Kyjeva před útočníky. Velká část obchodu se samozřejmě uskutečňovala i po řece Dněpr a do horní části Kyjeva i z města proudil Podolskou branou. Čtvrť Podolí (ukrajinsky Podil) se rozkládala na břehu řeky a sloužila jako místo pro tržiště a řemeslná centra. Po Dněpru se zboží převáželo nejen po proudu řeky do Černého moře a Byzance, ale i z oblasti horního toku. Kyjevská Rus měla silné napojení na Skandinávii a kromě obchodníků po ní na jih putovali lidé z Novgorodu, kteří své lodě mezi řekami přepravovali po souši, aby se dostali na horní tok Dněpru a pak připluli do samotného Kyjeva. Na jihozápad směřovala v Kyjevě Židovská brána, kudy proudil obchod do Uher a do Evropy. Dochovalo se množství důkazů o tom, že židovští cestovatelé a obchodníci cestovali ze střední Evropy na Rus a dále do Střední Asie, a to od dob založení Kyjevské Rusi až do dvanáctého století. Na jihovýchod města směřovala Polská brána, jejíž název naznačuje, jak důležitý byl pro Kyjevskou Rus obchod s Polskem. Získáváme tak obraz Kyjeva jako města uprostřed sítě obchodních vztahů mezi severem a jihem, jež se často vyzdvihují, stejně jako těch mezi východem a západem, které už nejsou tolik zmiňovány. Kyjev byl zkrátka centrem západní Eurasie a udržoval vynikající obchodní styky.

# Vojenské zájmy

Být součástí propojeného světa pro Kyjevskou Rus znamenalo běžně zažívat konflikty se sousedy i na vlastním území. Ne že by k násilí měl stát sklony, spíše bylo pro život ve středověku typické a odehrávalo se často v malém měřítku, přičemž počet válečníků čítal jen stovky a cesty ke smíru vedly všemi směry.

Nejčastějšími protivníky byly tehdy kočovné národy ze stepí. Patřili k nim Chazaři, Pečeněhové, Polovci a nakonec Mongolové. Chazary koncem desátého století porazil Svjatoslav, a zřejmě neúmyslně tak stepi zpřístupnil novým příchozím, například Pečeněhům, kteří se do oblasti brzy poté přestěhovali a opakovaně ohrožovali Kyjev. Svjatoslavův syn Vladimír vybudoval jižně od Kyjeva řadu měst, jež měla posílit obranu hlavního města. Postavil také první opevnění na místě budoucí Chotynské pevnosti. Původně šlo o prostou středověkou stavbu na dvou vyvýšeninách obehnaných palisádou, která však byla jako klíčová součást obrany Haliče ve třináctém století přestavěna na kamenné opevnění. Vladimír (syn Svjatoslava a vnuk Olhy) také vybudoval Hadí valy, řadu hliněných náspů podél řek jižně od Kyjeva, jež měly zdržovat nájezdy kočovníků a pomáhat obráncům. Tato mohutná opevnění si vyžádala spoustu času a pracovních sil a byla důkazem Vladimírových organizačních schopností. Navzdory Hadím valům však nájezdy kočovníků pokračovaly. Dostavila se však také významná vítězství, jako například Jaroslavova porážka Pečeněhů v roce 1036. Obyvatelé Kyjevské Rusi nebyli jediní, kdo těmito útoky trpěl: na ochranu před kočovnými nájezdníky byl jako uherská pohraniční pevnost původně postaven hrad Palanok v Mukačevu na západní Ukrajině, který se stal součástí ukrajinského území až mnohem později.

10
**Chotynská pevnost**
11. století
Černivecká oblast

„Tato mohutná opevnění si vyžádala spoustu času a pracovních sil a byla důkazem Vladimírových organizačních schopností.“

11 (na následující dvoustraně)
**Mukačevský hrad Palanok**
Původně dřevěné opevnění
Cca 11. století; přestavěno
na kamenné koncem 14. století,
s přístavbami z 15.–17. století
Zakarpatská oblast

Ke svárům docházelo i v samotné zemi, například když Jaroslav jako vládce Novgorodu odmítl platit vazalskou daň otci Vladimírovi, který sídlil v Kyjevě. Ten tehdy nařídil opravit cesty pro válečné účely. Díky této krátkodobé záležitosti – Vladimír totiž ještě před zahájením tažení zemřel – máme k dispozici strhující informace o komunikacích v Kyjevské Rusi i o požadavcích na jejich údržbu. Tažení probíhala také v zimě, kdy se snadněji než za blátivého podzimního či jarního počasí daly využívat zamrzlé řeky. K jednomu z nejvýznačnějších vnitrostátních konfliktů došlo koncem jedenáctého století, kdy byl na popud svých politických odpůrců oslepen ruský kníže Vasylko Rostyslavyč. Takový trest, který v Byzanci celkem běžně postihoval uchvatitele, se zdál většině elity

Kyjevské Rusi příliš krutý – čin odsoudila a tresty, jež mohli panovníci udělovat svým nepřátelům, omezila.

K dalšímu mocenskému boji, jenž svědčil o dosahu vazeb Kyjevské Rusi, došlo v roce 1149. Jurij Dolgorukij tehdy dobyl Kyjev od svého synovce Izjaslava Mstislaviče. Ten se pokusil získat město zpět, a povolal proto armádu příbuzných. Uherský král sice přijet nemohl, ale poslal několik tisíc jezdců. Z Polska přijeli se svými vojáky Boleslav IV. a jeho bratr Jindřich Sandoměřský a z Čech Vladislav II. K žádnému vojenskému střetu sice nedošlo, byla to však významná událost, protože se na jednom místě ocitli zástupci většiny zemí východní a střední Evropy a všichni soupeřili o vládu nad Kyjevem.

Útoky Mongolů a křižáků ve třináctém století vedly bojovníky Kyjevské Rusi k navázání kontaktů s vojsky z východu i západu. Typická pro ně byla zde zobrazená kovová přilba. Jde o kónickou kovovou pokrývku hlavy, která nositele chránila v případě přímého zásahu do hlavy tím, že úder odrazila do stran. Objeveny byly i mnohem bohatěji zdobené přilby tohoto typu z pozdějších let s vyrytými obrazy světců, například svatého Jiří. Střety s Mongoly i křižáky umožnily vymezit postavení Kyjevské Rusi v budoucnu, útoky však rovněž svědčily o tom, že v širším středověkém světě má tento stát své místo.

12
**Přilba**
13. století
Výška 181 mm;
průměr 244 × 210 mm
Nalezeno v kyjevském
Desátkovém chrámu
Národní muzeum
dějin Ukrajiny, Kyjev

# Náboženské vazby

Když Igorova žena a vládkyně Kyjevské Rusi Olga konvertovala ke křesťanství (viz s. 52), měla ve své svitě kněze, což dokazuje, že toto náboženství již bylo na Kyjevské Rusi přítomno. Ať již Olga konvertovala v Byzanci nebo jinde (a tato otázka zůstává sporná), v době své smrti byla zcela jistě křesťanka. Její vnuk Vladimír přestoupil na křesťanství v Chersonésu díky místním kněžím poté, co město dobyl od Byzantinců. Následný křest obyvatel Kyjeva vykonali na jeho popud kněží přivezení z Chersonésu a ti, kteří přicestovali z Konstantinopole s jeho ženou Annou Porfyrogennétou. Předpokládá se, že brzy po Vladimírově obrácení mu na oslavu této události římský papež poslal relikvie svatého Klimenta. To vše svědčí o tom, že navzdory převládající představě, že Kyjevská Rus konvertovala „díky Byzanci", a právě tak se k ní navždy připoutala, se věci odehrály trochu jinak. Olga i Vladimír si své postavení mezi dvěma říšemi i význam konverze uvědomovali a velmi se snažili, aby dokázali udržet křehkou rovnováhu.

**13**
**Svatý Jiří a výjevy
z jeho života**
12. století
Dřevo, tempera na sádrovém
podkladu, fragmenty zlacení
Národní umělecké muzeum
Ukrajiny, Kyjev

Většina dochovaných uměleckých děl z Kyjevské Rusi jasně dokládá byzantský vliv na církev. Pro byzantský styl jsou zvlášť charakteristické ikony, přičemž na Rusi převažují ikony svatého Jiří, protože vládnoucí rodina po vzoru byzantských císařů uctívala řadu světců bojovníků. Ikona *Svatý Jiří a výjevy z jeho života* (obr. 13, s. 71) poněkud netypicky znázorňuje stojícího světce; na většině ikon sedí na koni a zabíjí draka. Zde je obklopen několika menšími obrazy s výjevy z jeho života (odtud název díla). Tento typ ikony mohl většinou před-gramotnému publiku ukázat slávu křesťanských světců a ilustrovat příběhy z jejich života, které kněží zřejmě vyprávěli i při bohoslužbách.

Královská rodina z Kyjevské Rusi po vzoru mnoha jiných vládnoucích dynastií v celé Evropě stvořila i své vlastní světce – bratry Borise a Gleba, Vladimírovy syny. Svjatopolk I. Proklatý, další z Vladimírových synů, je po svém nástupu na kyjevský trůn v roce 1015 nechal zabít, aby neohrožovali jeho moc. Zprávu o hrozícím trestu smrti přijali oba s klidem, a dosáhli tak svatosti coby svatí mučedníci podle vzoru Ježíše Krista. Brzy se dočkali kanonizace a stali se oblíbenými postavami na ikonách vystavovaných po celé Kyjevské Rusi i významnými patrony kostelů, zejména v Černihivské oblasti.

Byzantský styl se na Kyjevské Rusi rozšířil i do architektury, jak lze vidět na Svaté Sofii, nejznámějším chrámu v Kyjevě. Pojmenována byla podle konstantinopolskému chrámu Hagia Sofia (oba názvy znamenají „svatá moudrost") a byzantský vzhled si zachovala dodnes, dokonce i po přestavbě v období ukrajinského baroka v sedmnáctém a osmnáctém století (viz s. 110–133). Původní kostel byl méně okázalý, přesto velmi krásný, s četnými tambury, i když bez kupolí, a s velkým vnitřním prostorem navrženým tak, aby vyvolával pocit, jaký v návštěvnících probouzel chrám Hagia Sofia: působivého interiéru zasvěceného Bohu (viz s. 54). Původní návrh svatyně připomíná ukrajinská dvouhřivnová bankovka. Napodobováním byzantských slohů si nově christianizovaná Kyjevská Rus mohla osobovat určitou velkolepost největší říše v západní Eurasii.

14 (*naproti*)
**Boris a Gleb**
Polovina 14. století
Tempera na dřevě
Výška 142,5 cm; šířka 94,3 cm
Národní muzeum Kyjevská
obrazárna

15 (*níže*)
**Chrám svaté Sofie, Kyjev**
Byzantský model chrámu
na dvouhřivnové bankovce

16 (*na následující dvoustraně*)
**Chrám svaté Sofie, Kyjev**
Současný letecký pohled

*Po celé Ukrajině najdeme nejrůznější formy uměleckého řezbářství,
které se v závislosti na regionech velmi odlišují. K dřevěným výrobkům
patří vyřezávané kříže, talíře a mísy, nádobí a truhly i dřevěné figurky
s lokálními specifiky, styly, tvary a povrchovou úpravou.*

**Matčin polibek**
V. I. Svyda (1913–1989)
1959
Vyřezávané dřevo
Užhorod, Zakarpatská oblast
Národní muzeum lidového
dekorativního umění Ukrajiny,
Kyjev

**Archanděl Michael**
18. století
Sytnjaki, Kyjevská oblast
Vyřezávané a malované dřevo
Národní muzeum lidového
dekorativního umění Ukrajiny,
Kyjev

**Hráč na banduru**
P. P. Verna (1876–1966)
1912
Boryspil, Kyjevská oblast
Vyřezávané a malované dřevo
Národní muzeum lidového
dekorativního umění Ukrajiny,
Kyjev

*Na přelomu devatenáctého a dvacátého století na Ukrajině
vzkvétalo lidové křesťanství, zejména na venkově. Lidové umění
prostupovala křesťanská obraznost, proto řada těchto ukrajinských
dřevěných figurek má sakrální charakter. Viz s. 242.*

**Spasitel**
18. století
Střední podněpří, Poltavská oblast
Vyřezávané a malované dřevo
Muzeum Ivana Hončara, Kyjev

**Matka Boží** (*vlevo*)
Počátek 20. století
Vyřezávané a malované dřevo
Muzeum Ivana Hončara, Kyjev

**Svatý Jan** (*vpravo*)
Počátek 20. století
Vyřezávané a malované dřevo
Muzeum Ivana Hončara, Kyjev

**Spasitel**
Volodymyr Asenovič Saljuk
(1870–1945)
Konec 19. století
Podolská oblast
Vyřezávané a malované dřevo
Muzeum Ivana Hončara, Kyjev

# LITEVSKÉ
# VELKOKNÍŽECTVÍ

*(14.–16. století)*

Diana Kločko

P o rozpadu Kyjevské Rusi, který následoval po ničivých mongolských nájezdech ve třicátých a čtyřicátých letech dvanáctého století, vzniklo ve třináctém století spojením litevských a ukrajinských knížat Litevské velkoknížectví. Jedním z prvních cílů nově vzniklého státu bylo získat nezávislost na Zlaté hordě, mongolském chanátu, jenž se rozkládal na rozsáhlých územích východní Evropy. Velkoknížectví Zlatou hordu porazilo v bitvě u Modrých vod v roce 1362, a ta tak přišla o vazalskou daň v zemích mezi Baltem a Černým mořem. Litevské velkoknížectví se pak stalo jedním z největších států tehdejší Evropy a převládaly v něm jazykové, kulturní a sociálně politické tradice Kyjevské Rusi. Podle Haličsko-volyňského letopisu, kroniky, která podrobně popisuje události třináctého století, byla jednota velkoknížectví znamením, že se litevská knížata sblížila s kyjevskou kulturou. Tuto rozmanitost kultur odráží ukrajinské umění čtrnáctého až šestnáctého století představující celou řadu jednotlivců i společenství v jakémsi palimpsestu starého a nového.

Velkoknížectví zachovala jako správní jednotky stávající knížectví a země, funkční vládní systém a předchozí dynastie Rurikovců byla nahrazena novými pány, Gediminovci. Zemské zákony vycházely z *Ruské pravdy*, kyjevsko-ruského zákoníku, a uspořádání vzniklé v Kyjevské Rusi nadále fungovalo ve vojenské oblasti i ve správě výběru daní. V následujícím století se zformoval předchůdce parlamentu, tzv. Panská rada (ukrajinsky pany-rada), shromáždění zástupců šlechtických rodů, které mělo dohlížet na vládu velkoknížat. Největšímu vlivu se v radě těšili ruthénští velmoži, kteří vlastnili rozsáhlé pozemky a těžili z bohatého majetku, jenž jim umožňoval verbovat, zaměstnávat a vést vojenské jednotky. Vojsko ruthénského knížete a velmože Konstantina Ostrožského například v bitvě u Orši v roce 1514 rozdrtilo spojené síly moskevsko-německé aliance. Zprávu o tomto vítězství zveřejnily německy i latinsky tištěné listy. Ve Varšavě Ostrožského oslavovali jako hrdinu a ve Vilniusu, kde na počest svého úspěchu založil dva kostely, sponzoroval školy a později financoval vydání tzv. *Ostrožské bible*, prvního úplného tištěného vydání bible v církevní slovanštině (viz obr. 12, s. 100).

Svůj vliv na kulturní a společenský vývoj státu si zachovala i pravoslavná církev, a to zejména prostřednictvím skupin zvaných bratrstva, která podporovala. Nejstarší bratrstva – Lvovské uspenské (založené v roce 1439) a Vilniuské kušnirské (založené v roce 1458) – umožnila zavést volební systém a pomáhala kostelům, nemocnicím a školám. Bratrské školy byly sice laické instituce, avšak jejich rétorika „hájit víru našich otců" před katolicismem a protestantismem nakonec přerostla ve veřejnou polemiku šířenou v tištěných brožurách a traktátech, jež obhajovaly reformu pravoslavné církve a kritizovaly její konzervativní vedení. Vznik reformních hnutí, zejména těch inspirovaných českým teologem

*strana 78*
**Bohorodička volyňská**
**Hodegétria** (detail)
*Viz obr. 7, s. 93*

a reformátorem Janem Husem, a zlepšení ekonomického postavení měšťanů, kteří těžili z možnosti organizovat se do cechů na základě magdeburského práva (právního kodexu, který dal městům autonomii a byl na Ukrajinu importován kolonisty z dnešního Německa), s sebou přinesly nové směry ve výtvarné kultuře. Slovo „pravoslavný" se stalo synonymem toho, co bylo „starodávné", zatímco to „současné" vyžadovalo jiný typ osobní prezentace. V městské architektuře se tato skutečnost projevila výstavbou měšťanských domů a paláců v evropském stylu. V jiných uměních byl tento trend podnětem k oblibě tzv. sarmatského portrétu (viz s. 101) a novému zájmu o divadlo. Urbanisté se mezitím stávající obranné systémy většiny měst velkoknížectví, jimž obvykle dominovala pevnost s hradbami a několika strážními věžemi, snažili doplnit o světské veřejné prostory. Navrhovali je architekti hlásící se k ideálům „dokonalého města", například Petro Italijec (Petr Ital, občan Lvova původem z Lugana) či Vincenzo Scamozzi. Do konce šestnáctého století se občany Lvova stalo osm architektů narozených v italsky mluvících švýcarských kantonech, v Římě a v Benátkách.

První knihy ve staroukrajinštině a staroběloruštině byly vytištěny koncem patnáctého století v Krakově a v Praze. Bratrstva postupem času zakládala vlastní tiskárny, jež měly dodávat gramatiky a první čítanky do jejich škol. Učebnice psali a překládali místní městští intelektuálové. První učebnici epistolografie, tedy psaní dopisů, vydal v roce 1522 Łukasz z Noweho Miasta, učenec svobodných umění na Krakovské akademii (dnes Jagellonské univerzitě, pozn. překl.). První gramatika církevní slovanštiny sestavená v Ostrohu vyšla roku 1586 ve Vilniusu. Na počátku šestnáctého století již v Evropě existovalo na osmdesát univerzit a téměř všechny měly studenty nebo zástupce z Litevského velkoknížectví (na Krakovské akademii například působilo třináct profesorů z takzvaných ruthénských zemí). Po návratu domů nastoupili do státních služeb, nebo se z nich stávali soudci či vojenští experti různých úrovní, jak dokládají kozácké matriky ze šestnáctého století.

Kozáci byli polokočovná skupina ze stepí. V šestnáctém století tvořili třídu profesionálních vojáků, kteří nabízeli ozbrojené služby (například ochranu velkoknížectví před tatarskými nájezdy) výměnou za práva, například za samosprávu. Jejich poloautonomní stát nesl název Záporožská Sič. Kozáci k získávání znalostí přistupovali pragmaticky. Jejich velitelé si uvědomovali, že shromažďování tajných informací, diplomacie a válečné umění se neobejdou bez znalosti cizích jazyků, vytipovávali si tedy mladé talentované muže a v případě potřeby i mecenáše a z prostředků Záporožské Siče dokonce udělovali stipendia, aby mohli navštěvovat univerzity.

S rozšířením magdeburského práva do většího počtu měst, jež tak získala větší politickou autonomii, se začalo intenzivněji rozvíjet městské plánování.

Starší města, například Kyjev, Volodymyr (Vladiměř), Černihiv (Černigov)
a Novhorod-Siverskij, si však zachovala starý půdorys daný fyzickým terénem,
jemuž dominovaly kostely. Velké kláštery začaly připomínat pevnosti s hradbami
a věžemi. Podporovaly také skriptoria a ikonopisecké dílny, jež se tolik neřídily
ideologickým diktátem, jako spíše nově vznikajícími estetickými modely.
Zejména po pádu Konstantinopole v roce 1453, kdy se přestaly malovat tradiční
městské ikony, začalo být několik málo dochovaných ikon z jedenáctého až tři-
náctého století považováno za „zázračné". Tyto stářím potemnělé malby se
kopírovaly a u originálů se velké části obrazů pokrývaly zdobeným kovem.

Rozvoj ukrajinského malířství měl různé podoby: fresky, ikony, knižní
miniatury i světské portréty. Řada fresek zmíněných v různých kronikách se
nedochovala, přestože v Polsku se jich několik zachovalo, například v kapli
Nejsvětější Trojice v Lublinu a v kapli svatého Kříže na krakovském hradě Wa-
wel. Ikonomalba se většinou držela kanonických typů, zejména při zobrazování
Matky Boží a svatých, přestože přibyly nové kompozice a typy postav včetně
příslušníků různých náboženských společenství, etnik a společenských vrstev –
například na mnohofigurálních vyobrazeních posledního soudu nebo pašijové-
ho příběhu. Rozměry většiny ikon dochovaných z tohoto období naznačují, že
nebyly určeny pro soukromá obydlí, ale do kostelů, jež měly tradiční třídílnou
oltářní přepážku. V některých případech, nejspíše v bohatších chrámech, byl
instalován ikonostas s několika řadami ikon, ani ten však zcela nezakrýval po-
hled do presbytáře (jako je tomu v ruské pravoslavné tradici, která svátost před
věřícími skrývá).

Šlechta a knížata velkoknížectví finančně podporovala a zvala zahraniční
umělce, aby stavěli a zdobili kostely, kaple i soukromé rezidence. Potulní kupci
s sebou přiváželi sbírky portrétů od italských a německých mistrů. Například
v Radziwiłłově paláci (Olycký zámek na Volyni) se nacházel portrétní sál
s obrazy, mezi nimiž se nalézala i díla německého renesančního malíře Lucase
Cranacha staršího. Místní malíři vytvořili osobitý žánr portrétů vycházející
z představy, že šlechta a kozáci mají společné předky, dávné Sarmaty. Tito
výtvarníci si vypůjčili prvky renesančního portrétu a manýristické doplňky,
například erby a nápisy, a na svých obrazech zdůrazňovali spíše postavení por-
trétované osoby a její příslušnost k určitému společenství než její individuální
charakteristiku, intelektuální zájmy či fyzickou krásu. Malby vznikaly obvykle
stejnou technikou a velká pozornost se věnovala detailům luxusního oděvu.
Gesta byla kodifikována a výrazy tváří ustálené. Portréty tak díky zálibě autorů
ve zdobnosti začaly připomínat rodinné erby. Vzácným příkladem sochařského
portrétu v sarmatském stylu je mramorový náhrobek knížete Konstantina
Ostrožského v raně italském renesančním slohu. Objednal si jej sám kníže,
který rovněž financoval vznik *Ostrožské bible* (obr. 12, s. 100), a v roce 1579 byl
nainstalován v chrámu Zesnutí Panny Marie v Kyjevsko-pečerském klášteře.
Význam kyjevského dědictví, jak jej uchovávalo a ztělesňovalo mnišství, tak zůstal
významným faktorem duchovního života i u nejpokrokovějších osobností země.

# Éra budování hradů

Po mongolských nájezdech z Asie, které na přelomu třicátých a čtyřicátých let dvanáctého století vedl chán Bátú, strávili obyvatelé ukrajinských území téměř půl století obnovou hospodářského a uměleckého života. Od počátku čtrnáctého století místní knížata investovala do výstavby pevností, v nichž pro případ náhlých potyček mezi sousedy či dokonce příslušníky téže rodiny sídlily posádky a správní úřady. Součástí opevnění byla často i hlavní hradní věž, která sloužila jako sídlo konkrétního šlechtice, jeho dvora a služebnictva. Stavitelé využívali k budování pevností ruiny dřívějších opevnění, některé dokonce z před-křesťanského období, jako tomu bylo v případě Janovské pevnosti v krymském Sudaku a pevnostního města Tustaň v ukrajinských Karpatech. Obranné stavby byly umístěny tak, aby co nejvíce využily daný terén a přístup k řekám, protože vodní toky sloužily jako spolehlivé dopravní cesty po celý rok. Řeky Dněstr, Dněpr a Dunaj s mnoha přítoky tvořily vnitrozemskou obchodní cestu, jež se v průběhu staletí hojně využívala k přesunům – a tedy i ke kontrolám – různého zboží, vojsk a vojenského vybavení.

Stavitelé pevností také zaváděli nejnovější technologie, které se naučili v západoevropských městech, s cílem vytvořit na Ukrajině nová obranná pásma. Společné rysy, například vysoké obranné zdi se střílnami, příkopy a padacími mosty, mají hrad Palanok v Mukačevu, pevnost Akkerman v Bilhorodu-Dni-strovském (v Oděské oblasti), Chotynská pevnost na Dněstru (v Černivecké oblasti) a opevnění Vysokyj Zamok ve Lvově. I vesnice měly často opevněné kostely, jako například Sutkivci v Chmelnycké oblasti. Všechny pevnosti se do dnešní doby v původní podobě nedochovaly. Ovšem z těch, které ano, můžeme odhadnout jejich velikost i estetiku.

První zmínka o Luckém hradu (známém jako Lubartův) pochází z roku 1085, stavba vyšší hlavní hradní věže však byla zahájena až za vlády knížete Lubarta v padesátých letech třináctého století. V průběhu věků se počet a výška hradních věží zastřešených dřevěným šindelem měnily. Zdivo věže nad branou svědčí o mnohých přístavbách. Hrad sloužil jako knížecí rezidence a po Lublinské unii (dohodě s Korunou polského království, kterou v roce 1569 vznikla Polsko--litevská unie) se v letech 1569 až 1795 stal sídlem královské vlády ve Volyňském

1
**Lucký (Lubartův) hrad**
Polovina 14. století
Luck, Volyňská oblast

„Místní si pocitu sounáležitosti s velkou evropskou rodinou velmi vážili a podrobnosti o tomto mimořádném setkání si vyprávěli ještě dlouhé roky."

vojvodství (správní oblasti). Kolem hradu pak vznikla proslulá obytná čtvrť pro bohaté měšťany, vládní úředníky a církevní hodnostáře.

V roce 1429 se v paláci ve vyšší hradní věži konala diplomatická schůzka evropských panovníků na nejvyšší úrovni, jíž se zúčastnili také tři tatarští chánové. Velkokníže Vytautas svolal ostatní evropské vládce i vyslance z Konstantinopole a zástupce papeže, aby s nimi projednal hrozbu, kterou představovala Osmanská říše, otázku náboženského reformního hnutí Jana Husa a svou korunovaci. Při této příležitosti přijelo do města Luck téměř patnáct tisíc lidí, tedy několikanásobek počtu obyvatel. Kromě četného zlatého a stříbrného nádobí byly pro hosty dovezeny stovky sudů vína a piva a maso z divokých prasat, losů, zubrů a beranů. Hostitelé zbudovali kolbiště pro rytířská klání a zařídili hony. Místní si pocitu sounáležitosti s velkou evropskou rodinou velmi vážili a podrobnosti o tomto mimořádném setkání si vyprávěli ještě dlouhlé roky. Vyobrazení věže brány Luckého hradu dnes najdeme na bankovce v hodnotě 200 hřiven.

Na jih od Volyně byli podobně ambiciózní různí vládci Podolí – území, kde nad jakoukoli snahou o sjednocení často převažovala výbojnost. Ve čtrnáctém století se hlavním městem nezávislého kraje Podolí stalo město Kamjanec a forma vlády byla diarchie (společná vláda dvou osob). Bratři Konstantin a Teodor Koriatovičovi zde v roce 1374 zahájili výstavbu pevnosti. Přibližně ve stejné době město obdrželo magdeburské právo a brzy se stalo velkým obchodním centrem. Ostrov, na němž se pevnost v Kamjanci Podilském (česky též Kamenec Podolský) nachází, obklopuje kaňon, jímž protéká řeka Smotryč. Pohled na hrad a okolí je vskutku ohromující. Hrad s vlastním městem spojuje most na úzkém ostrohu. Věže, horní místnosti a podpěry hradních zdí jsou celé z kamene a postaveny tak, aby odolaly střelným zbraním a dělostřelectvu. Pevnost s kosočtvercovým půdorysem, vysokými hradbami a jedenácti věžemi byla považována za nedobytnou. Každá věž má své jméno a je opatřena erby a latinskými nápisy, jež pocházejí z různých období. Jeden z nich je poněkud pesimistický: VERUS AMICUS EST RARIOR FENICE („Pravý přítel je vzácnější než fénix“) – vystihuje ducha bojovné doby.

Archeologický průzkum v roce 1960 pod budovou spojující Černou věž s Papežskou věží odhalil místnost dělmistra, plnou ohromných kamenných dělových koulí. Při vykopávkách byla nalezena také Koriatovičova pohřební, osm metrů hluboká komora vytesaná do skalního podloží hradu. Studna, jež se používala ještě v devatenáctém století, je ještě hlubší: její kola, umístěná ve dvou různých úrovních, muselo obsluhovat několik mužů. Město před hradbami pevnosti si žilo vlastním životem, jeho obyvatelé však nepochybně dobře věděli, jak se v pevnosti pohybovat, kdyby je ohrožoval nepřítel. Všechna opevnění

2
**Pevnost v Kamjanci Podilském**
14. století
Kamjanec Podilskyj,
Chmelnycká oblast

neměla tak přehledné a propracované obranné plány jako Kamjanec, a jen málokteré opevnění mohlo těžit z tak výjimečně příznivému terénu. Nejvíce hradů z tohoto období se dochovalo v Haliči, kde jich jen v Ternopilské oblasti najdeme v různém stavu více než třicet.

Jeden z nejstarších hradů na Ukrajině stojí na plochém kopci v městečku Olesko (ve Lvovské oblasti). První zmínka o něm pochází z roku 1327 a popisuje jej jako hrad s prostorným nádvořím obehnaným kamennými hradbami a s jednou vstupní branou chráněnou věží. Hradby se dodnes zachovaly v nižších patrech hradu, kde se původní místnosti přeměnily na skladovací prostory po přístavbě dvou nových obytných pater v šestnáctém až osmnáctém století. Oleský hrad se nacházel na hranici mezi Haličí a Volyní, a jeho páni tak měli velkou politickou výhodu. Proto o něj po staletí soupeřily šlechtické rody z Litvy a Polska. Své dětství tu strávil budoucí hetman (hlava státu) Ukrajiny Bohdan Chmelnický (ukrajinsky Chmelnyckyj) a narodil se zde polský král Jan III. Sobieski, přezdívaný „zachránce Evropy“ po vítězství nad Osmany u Vídně roku 1683. Na hradě se dodnes nachází jeho stůl a postel, jež podle místních pověstí rád využíval při každé návštěvě hradu s milovanou královskou chotí, Marií Kazimírou Louise de La Grange d'Arquien, původem z Francie. Ve druhé polovině dvacátého století byl hrad prohlášen za památkově chráněné muzeum. Ve zrekonstruovaných interiérech v několika historických slozích jsou k vidění dobové mramorové krbové římsy, heraldické reliéfy a sbírka umění ze čtrnáctého až osmnáctého století.

3 (*na následující dvoustraně*)
**Oleský hrad**
14. století
Olesko, Lvovská oblast

14.–16. STOLETÍ — ❖

# Sakrální umění
## a architektura jiných národů

Vláda Litevského velkoknížectví byla velmi tolerantní k různým církvím a náboženským společenstvím: pravoslavní křesťané a katolíci měli stejná práva, v zemi se mohli usazovat muslimští Tataři (třebaže jen někde) a Židé se na základě listiny z roku 1388 těšili jisté náboženské autonomii (přestože z Litvy v roce 1495 byli na osm let vypovězeni a jindy tvrdě pronásledováni). Tyto rozdílné skupiny si mohly svobodně zvolit sloh a materiál pro výstavbu svých chrámů a dalších sakrálních staveb.

Arménská katedrála ve Lvově byla postavena v šedesátých letech třináctého století za finanční pomoci kupců z krymské Kaffy (dnešní Feodosija, pozn. překl.). Pro dohled nad místními arménskými řemeslníky si zadavatelé vybrali italského architekta z Janova jménem Dorchi (známý také jako Doring). Struktura a proporce stavby svědčí o jeho nadání harmonicky sloučit italské, byzantské a arménské architektonické tradice. Během renovace po požáru v roce 1381, jež trvala až do roku 1437, přibyly renesanční prvky. Pod podlahou kostela a pod dlažbou jeho nádvoří byli po staletí pohřbíváni členové arménské komunity. Interiér zdobily fresky z patnáctého století – restaurátoři je však objevili až v roce 1925. Estetiku stylu art deco této jedinečné stavbě spojující byzantskou a arménskou architekturu později dodaly fresky Jana Henryka de Rosen, vytvořené v letech 1926 až 1929.

4
**Arménská katedrála**
1363
Lvov

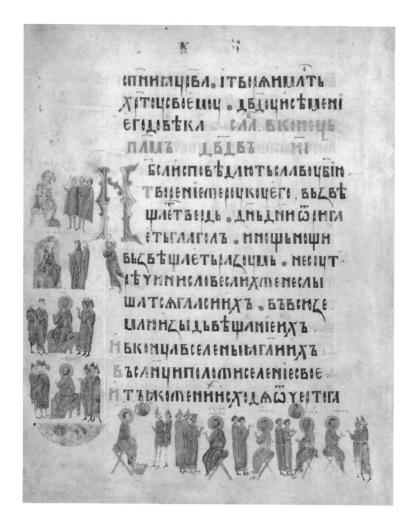

O skutečnosti, že si vládci velkoknížectví velmi vážili byzantského dědictví, svědčí také dědictví tehdejšího knihvazačství. Kyjev se stal součástí velkoknížectví v roce 1394 a již roku 1397 byla ve skriptoriu, jež pravděpodobně sousedilo s chrámem svaté Sofie, napsána, iluminována a svázána jedna z nejkrásnějších knih středověké východní Evropy, tzv. *Kyjevský žaltář*. Tvoří ji 230 pergamenových listů a 300 miniatur malovaných pigmenty, rozdrcenými drahokamy a zlatem. Většinu finančních prostředků na její zhotovení poskytl velkokníže Vytautas, což dokládá věnování s informací, že svazek vznikl v Kyjevě. Ceněná liturgická kniha měla nejspíš sehrát roli ve Vytautasově plánu sjednotit říši. Chrám svaté Sofie byl sídlem hlavního metropolitního biskupa Kyjeva a celé Kyjevské Rusi až do tzv. velkého schizmatu v roce 1054 (rozdělení křesťanské církve na východní, později pravoslavnou, a západní, katolickou církev – pozn. red.). Vydání nového překladu knihy žalmů v roce 1397, jehož autorem byl

6
**Velká chánova mešita**
1532
Bachčisaraj, Krym

metropolita Kyprian, mělo posílit jednotu pravoslavné církve a posloužit jako základ pro sjednocení několika knížectví s převážně pravoslavným obyvatelstvem. Tento poklad kyjevské výtvarné kultury, zdobený výjimečně kvalitně provedenými miniaturami, je v současné době „ve vyhnanství". Dlouho byl uložen ve Vilniusu, během polského povstání v roce 1864 jej však zabavilo carské Rusko. Až do požáru roku 1932 byl uložen v Šeremeťjevově paláci v Petrohradě a poté byl znárodněn Sovětským svazem.

Příkladem vysoké úrovně kultury v tomto období je rovněž tatarské a muslimské dědictví na Krymu. Krymský chanát získal nezávislost na Zlaté hordě pod vedením Hadžiho I. Gireje, jehož rodina patřila k potomkům Čingischána. Krymský chán Sáhib I. Girej v roce 1532 financoval stavbu jedné z největších mešit na poloostrově, jež byla součástí jeho paláce v Bachčisaraji (obr. 6). Arkády v přízemí spolu s majolikovými vlysy v oknech a čtyřbokou střechou z červených tašek propůjčují stavbě vzdušný, slavnostní vzhled. Interiér velkého sálu s vysokými sloupy osvětlují vitrážová okna a na široký balkon vede točité schodiště. Budova má samostatný vchod do chánova pokoje, bohatě zdobeného majolikovými dlaždicemi a vitrážemi. Okupační vláda Ruské federace v roce 2017 zahájila restaurátorské práce, které mešitu značně poškodily. Autentické trámy konstrukce pod střechou mešity, řada vitrážových oken i samotná čtyřboká střecha jsou nenávratně ztraceny. Zničené byly i původní střešní tašky zvané tatarky, které nahradila moderní, průmyslově vyráběná krytina.

# Byzantské tradice v křesťanském umění

Multikonfesní prostředí a náboženská tolerance zakotvená v zákonech velkoknížectví podnítily změny v postojích pravoslavných umělců k byzantským tradicím. Tato změna umožnila vznik regionálních, nemetropolitních malířských škol.

Mezi sakrálními malbami vzniklými ve čtrnáctém století na severozápadě Ukrajiny na Volyni zaujímá výjimečné místo ikona známá jako *Bohorodička volyňská Hodegétria* (Matka Boží se synem). Strohá škála barev s promyšlenou dekorativností v sobě spojují výraznou obraznost i tragičnost poselství. Lem pláště Panny Marie zdobí ornamenty a střapce a malý Ježíš má na sobě vyšívanou košilku, jež zřejmě odrážela lokální výšivku. Bohorodička na diváka hledí

7
*Bohorodička volyňská*
*Hodegétria*
Konec 14. století
85 × 48 cm
Národní umělecké
muzeum Ukrajiny, Kyjev

s porozuměním, ale i vyčítavě. Ježíš je znázorněn jako zralá, přísná božská osoba, která si dobře uvědomuje své budoucí utrpení za lidské hříchy. Neznámý autor se rozhodl Pannu Marii vypodobnit ve tříčtvrtečním pohledu a podmalováním očí tmavými stíny naznačil snahu odpoutat se od přísného lineárního zobrazování a zřejmě tak využít prvků vedoucích k perspektivě.

V patnáctém století vznikaly ve městech a velkých klášterech místní dílny, jež postupně vytlačovaly oblibu „putovních" ikon přivážených z Konstantinopole. Místní umělci si mohli dovolit výrazné odchylky od kánonu, experimentovali s barvami, přidávali detaily, jež znali z děl katolických malířů, a složitější kompozici. Vkus jejich mecenášů, často majetných obchodníků, kteří detaily, jež chtěli vidět na objednaných dílech, probírali osobně, tak podněcoval obraznost, jež se dříve považovala za nepatřičnou. Za vlády Jaroslava Moudrého, který coby svého nebeského patrona uctíval svatého Jiří, se například poprvé objevily ikony s tímto světcem. Od čtrnáctého století však malíři v jednotlivých knížectvích, kteří byli obeznámeni s evropskou gotikou, začali svatého Jiří znázorňovat jako rytíře, který poráží draka a zachraňuje princeznu.

Ikona *Svatý Jiří Drakobijec* z druhé poloviny patnáctého století ukazuje, kam až mohl výtvarník posunout hranice stávajících tradic. Světce poznáme podle červeného pláště, který ve škrobených záhybech vlaje za zády bojovníka, zatímco zbytek oděvu odpovídá v každém detailu byzantskému standardu. S překvapením si pak všimneme draka, který se dramaticky liší od typického vyobrazení tříocasého plaza. Vedle ostrozubého chřtánu bezkřídlého tvora stojí drobná postava dívky s korunkou: vyděšená oběť klečí před velkým hradem. Rodiče princezny, král a královna, se dívají z oken s hlavami podepřenými rukama a mají stejně zaujaté výrazy jako obrnění strážci a početné služebnictvo. Už nejde o obraz metafyzického boje mezi dobrem a zlem, v němž kopí světce vede andělská ruka, ale daleko spíše o ilustraci rytířského klání před branami města. Ikona svým majitelům umožňovala obdivovat detailně vyvedený městský hrad s mnoha věžemi a korouhvemi sahajícími až do nebes. Tato směsice stylů s evropskými prvky vetknutými do kánonu byzantského sakrálního umění představuje jeden z převládajících trendů dané doby.

V patnáctém století se objevily také monumentální pašijové výjevy složené z několika desek. Fresky s těmito scénami se na základě starobylé ukrajinské tradice malovaly na stěny chrámových lodí. Pokud si kostel takové malby nemohl dovolit, nahrazoval je ikonami. Lze předpokládat, že umělce při tvorbě jednotlivých epizod ovlivňovaly zkušenosti s duchovními hrami, jichž byli

8
*Svatý Jiří Drakobijec*
Druhá polovina 15. století
114 × 79 cm
Národní umělecké
muzeum Ukrajiny, Kyjev

„Ikona *Svatý Jiří Drakobijec* z druhé poloviny patnáctého století ukazuje, kam až mohl výtvarník posunout hranice stávajících tradic."

9
**Deskový pašijový cyklus**
Konec 16. století
Tempera na dřevěných panelech
se sádrovým podkladem
Střední deska 202 × 64 cm
Levá a pravá deska 202 × 25 cm
Národní umělecké muzeum
Ukrajiny, Kyjev

nepochybně svědky během Svatého týdne v katolických kostelích a jež byly plné
detailů, které později mohli ztvárnit na svých kompozicích. Například pašijový
cyklus z Haliče (obr. 9) tvoří tři více než dvoumetrové desky. Znázorňují jednot-
livé epizody s nápisy seřazené jako kreslený miniseriál. Popisy pocházejí z kázání
místního kněze, který si ikonu objednal, a obsahují jeho výklady biblického
textu. Tehdejší kněží plynně ovládali řečtinu a latinu a i věřící ve venkovských
farnostech dovedli snadno číst ve staroukrajinštině.

# Osvojení evropských stylů

V mnoha regionech, kde ekonomické možnosti umožňovaly mecenášům zvát umělce ze zahraničí, běžně přicházeli místní výtvarníci do kontaktu s kolegy, kteří tvořili mimo byzantský kánon. V Horjanech, čtvrti dnešního Užhorodu, se nachází kostel sv. Anny, jehož součástí je vzácná rotunda. Odborníci z několika zemí potvrdili, že byla postavena v románském slohu a její fresky (obr. 10) lze připsat kolektivu umělců, kteří pocházeli z okruhu žáků malířské školy italského výtvarníka Giotta a působili ve čtrnáctém a patnáctém století. Panství v Horjanech vlastnila také jedna z větví šlechtického rodu Drugethů. Hrabě György Drugeth z Užhorodu preferoval italské malířství, takže je možné, že ho doprovázela skupina potulných malířů, když se v roce 1354 stěhoval z Neapole.

10
**Freska v Horjanské
rotundě svaté Anny**
14.–15. století
Užhorod, Zakarpatská oblast

# „Od vyhlášení nezávislosti Ukrajiny v roce 1991 se [*Peresopnické evangelium*] používá při prezidentské přísaze."

Obrazy, jež se vyznačují neortodoxní ikonografií, originálním rozvržením různých epizod a expresivními liniemi v některých kompozicích, obsahují i latinské nápisy.

Tehdejší kultura vyžadovala, aby obyvatelé západní Ukrajiny ovládali základy několika jazyků. Výjimečnou osobností byl v mnoha ohledech Jurij Donat-Kotermak, který se stal rektorem Boloňské univerzity a jehož život je důkazem, že v Římě mohl uspět i rodák ze západní Ukrajiny. Kotermak vydal v roce 1483 inkunábuli (prvotisk) *Iudicium prosnosticon anni 1483 currentis* (Proroctví tohoto roku 1483) a „Království Rus" v něm popsal jako nedílnou součást Evropy.

Z každodenní mnohojazyčné reality se zrodila překladatelská škola. Jedním z prvních ukrajinských překladů kanonických evangelií z církevní slovanštiny bulharské redakce do staroukrajinštiny, místního jazyka, v němž se v kostelích kázalo, je *Peresopnické evangelium* ze šestnáctého století. Text, který v letech 1556 až 1561 vyhotovili Mychajlo Vasylevyč ze Sanoku a archimandrita peresopnického kláštera Hryhorij, obsahuje výpůjčky z řeckých a polských zdrojů. Překlad financovala volyňská kněžna Anastasija Zaslavska a její dcera Jevdokija s manželem, knížetem Ivanem Fedorovyčem Čortoryjským. Štědré finanční prostředky umožnily anonymním ilustrátorům vytvořit honosný svazek. Rostlinné motivy, charakteristické pro italský manýrismus, se propojují s rukopisem zdobených portálů lvovských měšťanských domů. Jasné písmo (tzv. ustav) textu svědčí o vysoké úrovni písařských dovedností, jež se v klášterních skriptoriích zachovaly díky přepisování kyjevských originálů z předchozích staletí. Zářivé, živé barvy ilustrací a hojné zlacení vypovídají o snaze nově interpretovat byzantskou estetiku. Hetman Ivan Mazepa věnoval knihu roku 1701 biskupství v Perejaslavi. Jako první veřejný činitel si uvědomil, že významné umělecké památky by se měly propagovat a šířit jejich důležitost za hranice jednoho regionu. Evangelium, které je svázané do skromných dubových desek potažených zeleným sametem, je dnes považováno za národní památku a od vyhlášení nezávislosti Ukrajiny v roce 1991 se používá při prezidentské přísaze.

Bez ohledu na to, jak vysokou úroveň měly ručně psané knihy, patřila budoucnost, a to zvláště ukrajinského vzdělání, nové technologii: knihtisku. Význam této změny si uvědomovali i nejbohatší velmoži a mecenáši. První úplný překlad Bible do církevní slovanštiny, jehož se ujala skupina učenců

11
*Peresopnické evangelium*
1561
Vyrobeno na Volyni
Národní knihovna Ukrajiny
V. I. Vernadského, Kyjev

při Ostrožské akademii, vyšel tiskem v letech 1580 a 1581 za finanční podpory
hraběte Konstantina Ostrožského. Dnes je dílo obecně známé jako *Ostrožská
bible* (obr. 12, s. 100). Lvovský tiskař Ivan Fedorovyč (česky též Fedorovič – pozn.
red.), který knihu vydal, může být vnímán jako slovanský protějšek německého
vynálezce, tiskaře a vydavatele Johannese Gutenberga. Fedorovyč pro svazek
vytvořil několik nových typů písma (čtyři cyrilská a dvě řecká, každé různé
velikosti) a grafickou výzdobu. Kniha má 628 stran a papírové archy byly
vyrobeny v Busku; obsahují tak filigrány (vodoznaky) buské papírny. Knihu
zdobí erby, viněty, ornamentální rámečky a iniciály podle vzorů benátského
typografa Alda Manutia. Díky mistrovské sazbě a kvalitnímu tisku je kniha
příkladem polygrafické harmonie. Tvůrci díla shromáždili výtisky Bible z celé
Evropy a porovnávali je s řeckou Septuagintou, přidali předmluvu mecenáše,
básně rektora Ostrožské akademie Herasyma Smotryckého a krátký doslov Ivana
Fedorovyče. Zjevně si uvědomovali, že vytvářejí vzor historického významu.
Přesný náklad *Ostrožské bible* není znám, podle odborníků však byl na svou

„Díky mistrovské sazbě a kvalitnímu tisku
je kniha příkladem polygrafické harmonie.“

12
*Ostrožská bible*
1580–1581
Vyrobena na Volyni
Národní knihovna Ukrajiny
V. I. Vernadského, Kyjev

**Portrét neznámého muže
v červeném plášti**
Polovina 16. století
Olej na plátně
82 × 97 cm
Ostrožské hradní
muzeum, Ostroh

dobu značný, protože dosahoval dvou tisíc výtisků. V knihovnách, muzeích a soukromých sbírkách po celém světě se nachází více než 350 exemplářů této památky.

Jako představa potenciálního kupce tak drahého svazku, jaký vytvořila skupina ostrožských učenců, nám může posloužit *Portrét neznámého muže v červeném plášti*. Portrétovaný, rozložitý muž s pozorným výrazem, si pro své obydlí vybral už ne ikonu, ale portrét v sarmatském stylu. Musel se sice spokojit se skromnějším provedením pouze po pás než tehdejší knížata a šlechta, je však výmluvné, že si takto drahé dílo mohl dovolit.

# Bohatá města
# s magdeburským právem

Mezinárodní obchod, který umožňoval výměnu zboží i uměleckých předmětů, přispíval k dynamickému prostředí, v němž se mohly proměňovat styly, vznikat nové žánry a zkoumat nová témata. Příkladem muže, který investoval do cenností, architektury a řady uměleckých děl, je Konstantin Kornjakt, lvovský obchodník s vínem, původem Řek z Kréty. Do šlechtického stavu byl povýšen za věrné služby v roli osobního tajemníka polského krále Zikmunda II. Augusta. Další král, Štěpán Báthory, vydal v roce 1576 zvláštní dekret, kterým Kornjaktovi povolil stavbu rodinného sídla na lvovském hlavním náměstí Rynok se šesti okny v každém poschodí. Většina měšťanských domů v okolí náměstí měla šířku jen pro tři okna a privilegium překročit ji se udělovalo pouze jako odměna za nanejvýš významné služby. V renesančním Kornjaktově paláci (obr. 15, s. 104–105) se zachoval gotický velký sál, dnes jediný příklad světské gotické architektury na Ukrajině. Okrasou částí paláce je italské nádvoří vytvořené po vzoru renesančních atrií ve Florencii či Římě. Někdy se mu přezdívá benátské, protože se v něm zachovala autentická okna, která pro Kornjakta vyrobili řemeslníci z Murana. Když Lvov navštívil italský dobrodruh a spisovatel Giacomo Casanova, na nádvoří se konala představení Shakespearových her.

„Když Lvov navštívil italský dobrodruh a spisovatel Giacomo Casanova, na nádvoří [Kornjaktova paláce] se konala představení Shakespearových her.“

Na fasádě do náměstí jsou nad renesančním portálem nápisy „27 AP 1580" a „MPEB" označující datum dokončení stavby (27. dubna 1580) a iniciály architekta (*Murator Petrus Barbon*). Barbonovi zřejmě pomáhal jeho žák, původem Ital, Pavlo Rymljanyn, kterého Kornjakt později pověřil stavbou nejvyšší městské věže. Kornjaktova věž (Uspenského chrámu – pozn. red.) vzdáleně připomíná zvonici Santo Stefano v Benátkách a mecenášovo jméno nese dodnes.

Obyvatelé měst s magdeburským právem měli značné hospodářské výhody a toto právo se rozšířilo poměrně daleko na východ. Magistráty chránily cechy před zásahy feudálů, určovaly místa a podmínky obchodu a pořádaly jarmarky, některé dokonce mezinárodní. Kyjev na konci patnáctého století například používal dvě magistrátní pečeti. První, o průměru asi 25 mm, se používala na místní smlouvy, zatímco větší, o průměru 41 mm a s latinským nápisem CAPI CIVITA TERRA KIOVIE („Pečeť hlavního města Kyjevské země"; obr. 14), plnila funkci státní pečetě. Sovětští historikové se domnívali, že v roce 1482 po vyplenění vojsky Krymského chanátu pod velením Mengli I. Gireje (který jednal na příkaz moskevského knížete Ivana III.), kdy byl vypálen dřevěný hrad a vydrancovány kostely, zůstal Kyjev v troskách. Existence těchto pečetí však daný výklad událostí popírá a naznačuje spíše další rozvoj města, jež mělo na počátku sedmnáctého století nejen své mezinárodní trhy, ale i tiskárny a bratrskou školu, z níž se brzy stala Kyjevsko-mohyljanská akademie.

**14**
**Pečeť města Kyjeva**
První polovina 16. století
Slitina mědi
Výška 35 mm; průměr 41 mm
Šeremeťjevovo muzeum, Kyjev

**15** (*na následující dvoustraně*)
**Kornjaktův palác**
16. století
Lvov

### Keramické kachle
Národní muzeum huculského a pokutského lidového umění
Josafata Kobrynského, Kolomyja, *kromě* vlevo a uprostřed
nahoře, na protější straně vlevo nahoře, uprostřed a vpravo dole,
Muzeum Ivana Hončara, Kyjev

*Na západě Ukrajiny bylo největším centrem tradičních uměleckých řemesel
město Kosiv (Ivanofrankivská oblast), známé především keramikou –
zejména výrobou keramických kachlů na pece, proslulých prostými, ale
expresivními obrazy v typických béžovo-zelených tónech.*

*V sovětských dobách byly v řadě měst proslulých lidovými řemesly otevřeny specializované výrobní závody. [...] Po rozpadu Sovětského svazu pokračovali ve výrobě jednotliví umělci-živnostníci. Viz s. 242.*

# OBDOBÍ BAROKA

*(17. a 18. století)*

**Maksym Jaremenko**

N a počátku sedmnáctého století byla většina ukrajinských zemí součástí federativní Polsko-litevské unie, jednoho z největších států v Evropě. Toto mnohonárodnostní uskupení bylo pozoruhodné svou náboženskou tolerancí. Panovníkovu moc omezoval volený parlament a důležitým prvkem státního politického života byly místní rady-shromáždění (*sejmy*). Ukrajinská (či ruthénská) šlechta představovala rytířskou kulturu a požívala celé řady politických práv. Až do poloviny sedmnáctého století si tato sociální skupina nejen jasně uvědomovala svou jedinečnou politickou identitu, ale identifikovala se také jako třetí členský národ Unie vedle Poláků a Litevců.

V první polovině sedmnáctého století pokračovala ve všech ukrajinských zemích urbanizace, kolonizace a kultivace jižního a jihovýchodního pohraničí. Náboženský a kulturní život inspirovaly diskuse mezi příslušníky různých vyznání. Zatímco na náboženské mapě země převládali pravoslavní věřící, po brestlitevské unii v roce 1596, v níž se kyjevská metropolitní arcidiecéze oddělila od pravoslavné církve a připojila se k Římu, formálně vznikla uniatská (později nazývaná řeckokatolická) církev. Ve své staleté činnosti pokračovaly římskokatolické instituce, silné bylo protestantské hnutí a své vyznání praktikovaly i skupiny Židů a muslimů. Důležitou společenskou, kulturní a náboženskou normou se stalo tzv. patronátní právo: každý vlastník půdy měl v souladu s ctnostmi „dobrého pána" podporovat poddané různých náboženství a vyznání. Například ve městě Ostroh, sídle mocného ruthénského knížete a senátora Konstantina Ostrožského, stál pravoslavný, katolický a kalvínský kostel, ale i ariánský chrám, mešita a synagoga. Sám kníže Ostrožský byl oddaný pravoslavné víře a významně se zasazoval o její podporu v soupeření s uniaty. Obyvatelé města se také aktivně podíleli na společenských a církevních záležitostech: s duchovními se dělili o odpovědnost a financování školství a knihtisku a organizovali vlastní věroučná bratrstva. Kyjev, starobylé hlavní město Ruthénů, po útocích krymských Tatarů na konci patnáctého století znovu dosáhl původního počtu obyvatel a stejně jako v případě Lvova vzrostl jeho kulturní, náboženský a politický význam.

Jako politická síla se na počátku sedmnáctého století začali prosazovat i záporožští kozáci (viz třetí kapitola). Žádný oficiální „kozácký stát" tehdy neexistoval a kozáci byli poddanými Polsko-litevské unie, bylo jim však přiděleno území a vlastnili půdu. Volili si vlastní vůdce a měli svou pečeť, vlajku a další insignie. Ozbrojená kozácká vojska se postupně změnila v dobře organizované společenství vojáků, kteří žili podle vlastních nepsaných pravidel a tradic. Polský král na jejich vojenské schopnosti spoléhal při obraně hranic Unie i v boji proti Osmanské říši, Velkoknížectví moskevskému a Švédům.

Požadavky kozáků neustále rostly a v pohraničních oblastech čím dál více zasahovali do církevních a městských záležitostí. Kvůli porušování svých práv,

strana 108
**Jov Kondzelevyč**
**Ikona archanděla Gabriela**
**z Bohorodčanského**
**ikonostasu** (detail)
Cca 1698–1705
*Viz obr. 4a, s. 119*

například snižování oficiálně uznaných počtů, neplacení za vojenská tažení či zasahování jiných správních orgánů do kozáckých záležitostí, organizovali povstání. Pomalu tak začali nabývat samostatného sociálního statusu s vlastními právy a povinnostmi. Kozácké povstání v roce 1648, vedené Bohdanem Chmelnickým (cca 1595–1657), začalo vystoupením proti porušování jeho osobních práv a rychle přerostlo v revoluci. Pod prapor kozáků bojujících za zvláštní postavení se masově přidávali bezprávní prostí lidé (vlastníci půdy, kteří vládli chudině, se většinou stavěli proti kozákům) a připojila se i část měšťanů a šlechty. Chmelnický svou vzpouru ospravedlňoval tvrzením, že mu jde o obranu pravoslavné víry. To kozákům umožnilo vystupovat jménem všech pravoslavných Ruthénů a hledat podporu u pravoslavného cara v Moskvě. Chmelnický vstoupil pod ochranu cara v roce 1654. Kozáci, vychovaní v politických tradicích Unie, ve které se král volil, očekávali, že jim tento pakt přinese záštitu a zachová jejich dosavadní výsady. Velkoknížectví moskevské ovšem dohodu považovalo za potvrzení bezpodmínečné věrnosti kozáků carovi. Jakmile se to prokázalo, Chmelnický se pokusil spojit se švédským králem. Kozáci jednali i s dalšími sousedními mocnostmi, mimo jiné i s Osmany a Tatary.

Po smrti Chmelnického prosazovaly různé frakce kozáků různá spojenectví – s Unií, Moskvou nebo Osmanskou říší – a s podporou sousedů se vrhly do bratrovražedného boje. Toto období, známé jako „Rozvrat" (*Rujina*), přineslo velké demografické a hospodářské ztráty a trvalo až do roku 1687, kdy se hetmanem stal Ivan Mazepa, který tuto funkci zastával až do roku 1709. Za jeho vedení se územní hranice kozácké jurisdikce ustálily a formalizovaly. Smlouvy mezi ruským státem a Unií nerespektovaly přání kozáků a ukrajinskou půdu rozdělily přibližně podél řeky Dněpr. Tzv. pravobřežní Ukrajina, s výjimkou malého území u Kyjeva, zůstala pod vládou Polsko-litevské unie; Kyjev, včetně předměstí na pravém břehu, a všechna území na východ od Dněpru byla součástí ruského státu.

Kozácká revoluce a ztráta mnoha ukrajinských vojvodství (správních oblastí) Polsko-litevskou unii výrazně oslabily. Od druhé poloviny sedmnáctého století již tak tolerantní k různým náboženstvím nebyla. Na počátku osmnáctého století již v ukrajinských vojvodstvích nezůstaly žádné pravoslavné diecéze (eparchie). Fungovaly pouze jednotlivé kláštery a farnosti. Valná část Ukrajinců se připojila k řeckokatolické církvi. Hranice mezi Unií a ruským státem byla tedy také náboženská.

Mocnější sousedé si Polsko-litevskou unii rozdělili do konce osmnáctého století. Moskevské carství, rozšířené o ukrajinská území, získalo na politickém i územním významu. Carům se nyní dařilo využívat hospodářské a lidské zdroje úrodné ukrajinské půdy. Kozáci se účastnili všech důležitých válek rodícího se

ruského impéria a ukrajinští náboženští myslitelé modernizovali ruskou církev
i vzdělávací systém.

Dřevěný kostel
svatého Jiří (interiér)
*Viz obr. 3, s. 118*

Kozácká revoluce v roce 1648 s sebou přinesla vznik kozáckého autonom-
ního státního útvaru, tzv. Hetmanátu (*Heťmanščyna*). Kozáctvo se v něm
stalo politickým národem, nejvyšší sociální skupinou, podobně jako byla
šlechta v Polsko-litevské unii. Hetmanát byl společností jedné víry; operovala
v něm pouze pravoslavná církev. Pravoslavná kyjevská metropole podléhala
konstantinopolskému patriarchovi až do roku 1686, kdy moskevský patriarcha
v rozporu s kanonickým právem rozšířil svou pravomoc i na Kyjev. Ve druhé
polovině sedmnáctého století vznikla na rusko-ukrajinském etnickém pomezí
v důsledku ukrajinské kolonizace další kozácká správní oblast, ovšem samostatná
a nezávislá na Hetmanátu, tzv. Slobodská Ukrajina (*Slobožanščyna*). Hetmanát
se sice nacházel pod moskevskými vládci (po roce 1721 pak ruskými cary), ale
až do konce osmnáctého století si zachoval vlastní společenské uspořádání,
samosprávu, právní zvyklosti a ideje. Ty do značné míry vycházely z norem
Polsko-litevské unie, kde se utvářela rytířská kultura kozáků.

Centralizační reformy ruského cara Petra Velikého autonomii Hetmanátu
ohrožovaly a znamenaly likvidaci kozáků jako privilegované společenské třídy.
Hetman Ivan Mazepa se proto ruskému panovníkovi postavil, uzavřel spojenectví
se švédským králem Karlem XII. a podpořil Švédsko v severní válce. Porážka
švédsko-kozáckých vojsk u Poltavy v roce 1709 s sebou přinesla ruské proná-
sledování okruhů kolem hetmana a další omezení práv Hetmanátu. Postoj carů
ke kozácké autonomii celé osmnácté století kolísal podle toho, jak naléhavě
potřebovali kozáckou vojenskou sílu. Kateřina Veliká nakonec zavedla sjedno-
covací reformy, které Hetmanát zlikvidovaly. Pro moderní, státotvornou dobu
se však kozácká autonomie stala symbolem ukrajinské suverenity.

Politické a náboženské rozdělení ukrajinských území neznamenalo, že by
mezi nimi existovala neprostupná bariéra. Sousedé, které si podrobily různé státy,
se stýkali i nadále. Přetrvávaly rodinné vazby, církevní poutě, obchod a pašeráctví
i všechny ostatní formy přeshraničního pohybu.

Ukrajinská kultura sedmnáctého až osmnáctého století se vyvíjela v souladu
s obecnými evropskými trendy. Období baroka dodalo nové způsoby myšlení
i novou architekturu, literaturu a umění. Náboženství zůstalo nedílnou součástí
ukrajinské kultury. V Polsko-litevské unii se kultura rozvíjela v mnohonábožen-
ském, multikulturním a mnohojazyčném prostředí. Vzdělaní představitelé
Hetmanátu a Slobodské Ukrajiny také mluvili více jazyky a vzdělání, cestování
i konzumovaná literatura jim umožňovaly orientovat se v západoevropském
myšlení. Právě díky kyjevským intelektuálům došlo v ukrajinské kultuře
k jedinečnému spojení východního (byzantského) a západního (latinského)
křesťanství. Přibližně v této době se formuje i ukrajinský raně moderní národ,
zatímco nositeli předmoderní národní identity byly politické elity Hetmanátu.

# Třetí člen Republiky dvou národů

Ukrajinská území měla v Polsko-litevské unii i v carském Rusku pověst nekonečně úrodného Klondiku. Jižní a jihovýchodní části ukrajinského pohraničí začali polští magnáti a šlechtici kolonizovat a kultivovat již ve druhé polovině šestnáctého století. Do poloviny sedmnáctého století patřila přibližně čtvrtina veškeré tamní půdy přistěhovalým vlastníkům půdy. Statky a hospodářství pěstovaly obilí, jež se vyváželo do západní Evropy přes hlavní obchodní přístav Gdaňsk. Noví vlastníci půdy a jejich polští zákazníci byli zpočátku vnímáni jako cizinci. Díky sňatkové diplomacii však navázali rodinné vztahy s domácí ruthénskou šlechtou a časem obsazovali funkce v místních samosprávách. Řada ukrajinských magnátů v té době navíc konvertovala k prestižnějšímu katolictví.

Mnoho panství v různých částech Ukrajiny vlastnil velký polský rod Potockých. V osmnáctém století zakládali ve městech, která jim patřila, porcelánky, textilky a podniky na výrobu kočárů. Kromě hradů, palácových rezidencí (která v osmnáctém století začala vytlačovat ta opevněná) a kostelů je dalším materiálním dokladem politických, kulturních a hospodářských snah Potockých krajinářský park Sofijivka, založený v osmnáctém století na předměstí Umaně. K pokladům ukrajinského baroka patří také radnice v Bučači z poloviny osmnáctého století. Její výstavbu financoval kanivský *starosta* (starosta zastával nejvyšší správní a soudní úřad ve správní jednotce zvané *starostvo*) Mykola Vasyl Potockyj (cca 1707–1782, polsky Mikołaj Bazyli Potocki – pozn. red.), rytíř maltézského řádu, který vlastnil Bučač a mnoho dalších měst a pozemků na ukrajinském a polském území. Potockyj štědře podporoval uniatskou církev a vzdělání obecně, a sám dokonce přestoupil na řeckokatolickou víru. Již za svého života o něm vzniklo mnoho legend a pověstí. Říkalo se například, že zabil mladou ženu, která odmítala jeho dvoření, a následně financoval stavby desítek kostelů, aby tento prohřešek odčinil.

Radnice v Bučači je dílem architekta Bernarda Meretyna (?–1759), rakouského či německého původu. Ve Lvově byl natolik oblíbený, že se dostal do rozporu s místními stavebními mistry, kteří ho obvinili z nekalé konkurence. Dvoupatrové průčelí radnice, vysoké více než 35 metrů, zdobily sochy biblických postav a výjevy z antické mytologie. Na první pohled nezvyklá směs křesťanských a pohanských motivů byla ovšem pro baroko charakteristická. Kamenné sochy na radnici zhotovil Johann Georg Pinsel (ukrajinsky Pinzel – pozn. red.), přistěhovalec neznámého původu (možná i českého – pozn. red.), jenž se proslavil i svými díly ze dřeva. Během práce pro Potockého měl stejně jako Meretyn spoustu žáků.

Meretyn a Pinsel spolupracovali také na sídle lvovských uniatských metropolitů, chrámu svatého Jiří (obr. 2, s. 116–117). Jeho stavba probíhala v letech 1744 až 1761, výzdoba však byla dokončena až koncem sedmdesátých

1
**Radnice v Bučači**
Bernard Meretyn (architekt)
a Johann Georg Pinsel (sochy)
1740–1750
Bučač, Ternopilská oblast

2 (*na následující dvoustraně*)
**Chrám svatého Jiří**
Bernard Meretyn a Klemens
Fesinger (architekti) a Johann
Georg Pinsel (sochy)
1744–1761
Lvov

let osmnáctého století. Po Meretynově smrti převzal jeho práci další architekt německého původu, Klemens Fesinger. Průčelí chrámu zdobí Pinselova díla. V době výstavby neuplynulo ani padesát let od chvíle, kdy lvovská, dříve pravoslavná diecéze přestoupila k Římu, a výzvou tak bylo postavit si hlavní chrám. V osmnáctém století se náboženského vzdělávání duchovenstva i laiků ujala řeckokatolická církevní hierarchie. Zvláštní charakter církve, její východní kořeny i sounáležitost s Římem měla vyjadřovat i architektura. Podle představitelů církve měl nový chrám, zasazený do multikulturního prostředí Lvova, zdůrazňovat řeckokatolickou identitu, jež se liší od římského katolictví i pravoslaví. Stavba měla rovněž vyzdvihovat rovnoprávnost řeckokatolické víry (o níž se často říkalo, že je „vesnická") s katolicismem. Musela tedy vypadat jak luxusně, tak moderně. Problémem byl přetrvávající nedostatek místních stavebních mistrů, kteří uměli pracovat s kamenem. Kostely pro obce různých vyznání a synagogy navrhovala a stavěla hrstka architektů pozvaných ze zahraničí, a všechny tyto budovy měly společné architektonické rysy a často se podobaly svým západoevropským protějškům.

Naprostá většina sakrálních staveb na Ukrajině byla postavena ze dřeva, a to místními mistry. Kameníci byli vzácní a v některých městech ani nežili. Dřevěné trojlodní kostely, jež se v různých oblastech lišily určitými konstrukčními detaily, byly levnější, z dostupnějšího materiálu a přenosné (daly se prodat, převézt a znovu postavit na novém místě). Jejich hlavní nevýhodou je ovšem rychlé chátrání. Aby odolávaly povětrnostním vlivům, vyžadují každých několik desetiletí opravu nebo i částečnou rekonstrukci, proto se jich dodneška zachovalo tak málo. Jako příklad uveďme kostel svatého Jiří v Drohobyči, přestavěný v roce 1650. Od počátku šestnáctého do konce sedmnáctého století v něm sloužili kněží pocházející z jednoho rodu, v osmnáctém století se pak

3
**Dřevěný kostel svatého Jiří**
15. století; přestavěn 1650
Drohobyč, Lvovská oblast

tomuto privilegiu těšila jiná rodina. Takováto dědičná služba věřícím neznamenala, že rodina kněze vše rozhodovala, protože kontrola byla výsadou mecenáše či pána.

Dřevo se používalo také u jiných typů staveb: stavěla se z něj valná část obytných a obchodních budov a na některých kyjevských ulicích se v sedmnáctém a osmnáctém století například pokládalo jako dlažba. Proto byly tehdy časté požáry, jež mohly mít katastrofální následky: ničily jak budovy a majetek, tak i knihovny, archivy a památky.

Ukrajinské malířství sedmnáctého a osmnáctého století nejlépe reprezentuje ikonomalba. Většina děl ze sedmnáctého století byla přivezena ze západní Ukrajiny, nebo tam vznikla. Jejich autory byli Ukrajinci, Poláci a Arméni. Od konce šestnáctého století v této oblasti určoval trendy Lvov spolu s městem Žovkva, kde působil Ivan Rutkovyč (zemř. počátkem 17. století; obr. 4b). Narodil se tam také Jov Kondzelevyč (1667–1740), tvůrce ohromného barokního Bohorodčanského ikonostasu (jedna z jeho ikon je na obr. 4a). Vysoce umělecká díla však nemohla uspokojit lidovou poptávku po ikonách, protože měly být v příbytku každého křesťana. Proto ikony malovali také tzv. „lidoví malíři" a v osmnáctém století se poprvé objevily také ikonky tištěné na papíře.

# Kozácká *Patria*

Bohdan Chmelnický, jemuž vděčíme za vznik Hetmanátu, byl výjimečná osobnost. Současníci ho líčili jako mocného a autoritativního vůdce, který dával přednost prostému životu. Pocházel z nižší šlechtické rodiny a studoval na jezuitském kolegiu ve Lvově. Kvalitního vzdělání, jež zdarma nabízely jezuitské instituce, i tolerance vůči studentům nekatolického vyznání tehdy využívala řada pravoslavných studentů. Budoucí hetman měl také přímé vojenské zkušenosti z doby, kdy bojoval v kozáckých řadách, a na nějakou dobu se dokonce ocitl v osmanském zajetí. Podle některých badatelů mu v roce 1649, tedy během druhého roku kozáckého povstání, poslal zprávu Oliver Cromwell.

Povstání, které překreslilo politickou mapu středovýchodní Evropy, začalo útokem na sídlo Chmelnického ve vesnici Subotiv, při němž mu soused zavraždil syna a unesl manželku. Sám hetman byl později pohřben v subotivské kapli, kterou nechal postavit v kostele svatého Ilji jako hrobku pro svou rodinu. Vesnice se pak pro kozáky stala významným pamětním místem. Podle jedné z verzí událostí pocházel kámen použitý ke stavbě kaple ze zničené mešity u Subotiva.

Vládci nového státního útvaru – hetmani a kozácká elita, která Hetmanát spravovala – byli, jak se na tehdejší mocné slušelo, velkorysými patrony pravoslavné církve. Financovali výstavbu nových chrámů a opravy starých, které se rodily znovu už jako příklady barokní architektury.

5
**Kostel svatého Ilji**
1653
Subotiv, Čerkaská oblast

6
**Kyjevsko-pečerský klášter**
11. až 18. století
Památka světového dědictví
UNESCO

„Záznamy z konce šestnáctého století svědčí o rozvinutém poutním „průmyslu" zahrnujícím instrukce pro návštěvníky, navrhované trasy, dary a doporučené rituály."

**Panna Marie Ochranitelka
(tzv. Pokrov Přesvaté Bohorodičky)
s portrétem Bohdana Chmelnického**
První polovina 18. století
Dřevo, tempera na šepsu
Národní umělecké muzeum
Ukrajiny, Kyjev

Nejznámějším z ukrajinských komplexů pravoslavných staveb je Kyjevsko-pečerský klášter (ukrajinsky Kyjevo-Pečerska Lavra – pozn. red.; obr. 6, s. 121). Založen byl již v jedenáctém století a jeho první nadzemní zděné stavby lze datovat do jedenáctého a dvanáctého století. V první polovině osmnáctého století získaly klášterní budovy dnešní barokní podobu. Za doby Polsko-litevské unie a později i během Hetmanátu se klášter těšil podpoře panovníků a šlechty a proslul mimořádným bohatstvím. V jeho zdech vznikla nekropole pro elity a klášter každoročně navštěvovaly tisíce poutníků z celé východní Evropy. Poutníky i další cizince přitahovala pověst svatého místa, o níž svědčí neporušené ostatky desítek světců uložených ve starobylých podzemních jeskyních (ukrajinsky pečery = jeskyně – pozn. red.). Záznamy z konce šestnáctého století svědčí o rozvinutém poutním „průmyslu" zahrnujícím instrukce pro návštěvníky, navrhované trasy, dary a doporučené rituály. Kolem roku 1615 začala v klášteře působit jedna z největších ukrajinských tiskáren produkující knihy v latince i cyrilici. Monopol na knihtisk, posílený vlastním knihkupectvím v Kyjevě, klášter úspěšně hájil až do konce osmnáctého století. Dobře známá byla i místní škola ikonomalby, jež lákala žáky ze zahraničí, především ze Srbska.

Jedním z nejvýznamnějších mecenášů Kyjevsko-pečerského kláštera byl hetman Ivan Mazepa. Podle jedné legendy zaznamenané v devatenáctém století ve skutečnosti nezemřel v roce 1709 v moldavských Benderách (česky také Tighina – pozn. red.), kam emigroval po porážce povstání proti ruskému carovi, ale tajně odjel do Kyjeva, kde v klášteře dožil jako mnich.

Barokní ikonomalba je zastoupena převážně památkami z osmnáctého století a mnoha zachovalými ikonostasy. V Hetmanátu v období po Mazepovi se ikony staly prostředkem ke sdělování politických poselství. Konkrétními obrazy na ikonách vyjadřovaly politické elity svou identitu i své aspirace. Na jedné z takto politicky zabarvených ikon – znázorňující Pannu Marii Ochranitelku (ukrajinsky tzv. Pokrov – pozn. red.) z první poloviny osmnáctého století – je obraz Bohdana Chmelnického (obr. 7). Tento odkaz na zakladatele kozáckého státu nejen dokládá jeho kultovní postavení, ale divákovi také připomíná, že ukrajinské elity si svá privilegia vydobytá povstáním v sedmnáctém století pamatovaly a na svých právech trvaly i v carském Rusku. Obecně lze říct, že úcta k Pokrovu byla v soudobé ukrajinské kultuře velmi oblíbená.

Z doby Hetmanátu se dochovalo mnohem více zděných církevních staveb než světských, které představovaly většinou skromné jednopatrové budovy. Přesto jednotlivé hetmanské paláce a sídla církevních hodnostářů vynikala když ne svou elegancí a zdobností, tak přinejmenším velikostí a komfortním

„Konkrétními obrazy na ikonách vyjadřovaly politické
elity svou identitu i své aspirace."

interiérem. Jedním z takových příkladů je sídlo kyjevských metropolitů (mansarda přistavěná v padesátých letech sedmnáctého století; obr. 8). Kyjev byl sice největším městem kozácké Ukrajiny, jehož počet obyvatel v osmnáctém století dosahoval i čtyřiceti tisíc, ovšem hlavním městem hetmanství se nestal. Kozáci se v něm kvůli početné ruské posádce a mocné samosprávě necítili dobře. Přesto zůstával nejvýznamnějším náboženským centrem a kyjevský metropolita zastával nejstarší církevní stolec v carském Rusku.

Nová kozácká a církevní elita v Kyjevě a na tzv. levobřežní Ukrajině (oblasti od Dněpru na východ) podporovala rozvoj portrétování, často v podobě maleb *ktitorů* (patronů) a epitafů, což bylo v Polsko-litevské unii méně rozšířené než ikonomalba nebo světská portrétní malba. Jedním z mála příkladů rané portrétní malby za Hetmanátu je vyobrazení kozáckého vůdce Hryhorije Hamaliji z konce sedmnáctého století, vzniklé ještě za jeho života. Hamalija (cca 1630–1702) žil v době „Rozvratu" a sloužil řadě hetmanů například jako kozácký velvyslanec v Turecku a Rusku. Zúčastnil se několika tažení, pomohl Ivanu Mazepovi při nástupu k moci, nějakou dobu byl vůči němu v opozici a vlastnil významné državy. Obraz vznikl v žánru šlechtického sarmatského stylu, jenž se mimo jiné vyznačuje důrazem na mohutnou postavu portrétovaného, typickou pózou a zdobností. Existence podobných portrétů z doby Hetmanátu prozrazuje, že kozácká elita převzala modely výtvarné sebeprezentace typické pro polskolitevskou šlechtu.

8
**Sídlo kyjevského metropolity, areál chrámu svaté Sofie**
1722–1757
Kyjev

9
**Anonym**
*Portrét Hryhorije Hamaliji*
17. století
Olej na plátně
113,5 × 85 cm
Národní umělecké
muzeum Ukrajiny, Kyjev

„Kyjev byl sice největším městem kozácké Ukrajiny, jehož počet obyvatel v osmnáctém století dosahoval i čtyřiceti tisíc, ovšem hlavním městem hetmanství se nestal. Kozáci se v něm kvůli početné ruské posádce a mocné samosprávě necítili dobře."

# Univerzitní tradice

V polovině sedmnáctého století fungovala na Ukrajině rozvinutá síť vzdělávacích institucí: patnáct jezuitských kolegií, desítka kalvínských a unitářských kolejí a několik pravoslavných a uniatských škol (jejichž vrchol přišel v druhé polovině osmnáctého století). K pravoslavným patřila nejvýznamnější tzv. bratrská škola v Kyjevě založená v roce 1615, kde se vyučovala i latina. Roku 1632 ji reformoval pravoslavný hierarcha Petro Mohyla (1596/7–1647; viz obr. 11), který zavedl humanistický model vzdělávání, praktikovaný již v celé Evropě zejména jezuity. V roce 1658 získala kyjevská škola od Polsko-litevské unie stejná práva jako krakovská akademie a stala se de iure první univerzitou na území Ukrajiny (nejvýchodnější univerzitou Evropy zůstane až do poloviny osmnáctého století). Jakmile se však Kyjev stal součástí carského Ruska, kde byla evropská univerzitní tradice zcela neznámá, plnou samosprávu už si nedokázala prosadit. Vyučovacím jazykem na Kyjevsko-mohyljanské akademii byla latina, ale studovala se zde také polština, řečtina a hebrejština; v roce 1738 přibyla němčina, v roce 1753 francouzština a roku 1784 ruština (Ukrajinci se až do konce osmnáctého století ruštinu neučili a až na výjimky ji neovládali). Akademii každoročně navštěvovalo více než tisíc studentů ze všech společenských vrstev. Pocházeli nejen z Ukrajiny, ale i z Běloruska, Srbska, Bulharska, Černé Hory, Ruska, Moldávie a Řecka. Mnozí absolventi posléze dosáhli významné církevní nebo světské kariéry. Kyjevsko-mohyljanskou akademii navštěvoval Ivan Mazepa i jeho pobočník a nástupce a nakonec politický emigrant Pylyp Orlyk, první ukrajinský laický filozof Hryhorij Skovoroda, ideolog carských reforem Feofan Prokopovič,

10
**Nákres budovy Staré (Mazepovy) akademie**
1704–1739
Kyjev

**Anonym**
*Portrét kyjevsko-haličského*
*metropolity Petra Mohyly*
Druhá polovina 18. století
Národní umělecké muzeum
Ukrajiny, Kyjev

ПЕТРЪ МОГИЛА. БОЄВОДИЧЪ ЗЕМЛИ МОЛДАВСКОИ
АРХИМАНДРИТЪ ПЄЧЄРСКІИ МИТРОПОЛИТЪ КІЄВСКІИ. ПРЄСТАВИСА аХМЗ

vysoký kancléř carského Ruska kníže Alexandr Bezborodko, epidemiolog, doktor medicíny a člen dvanácti evropských akademií Danylo Samojlovyč, hudební skladatel Artem Vedel, konstantinopolský patriarcha Konstantin I. a stovky dalších významných osobností. Absolventi Kyjevsko-mohyljanské akademie založili desítky škol na Ukrajině i v zahraničí. V roce 1819 se z akademie stala moderní instituce vyššího církevního vzdělání. Hlavní budova s přestavbami z devatenáctého století dodnes plní svůj původní účel. Dokončena byla koncem třicátých let sedmnáctého století, ale rytina známého ukrajinského umělce Inokentije Ščyrského z let 1697–1701 dokládá, že již tehdy existoval plán na dvoupatrovou budovu.

Reorganizace školství Petra Mohyly byla jen jedním z příkladů jeho reformních snah. Jako kyjevský metropolita (1633–1647) z rodu moldavských šlechticů patřil k nové generaci evropských poreformačních náboženských vůdců s vynikajícím vzděláním, světonázorem i aspiracemi. Zasloužil se o profesionalizaci duchovenstva a vzdělávání laiků, sjednotil liturgickou praxi, rozvíjel jednotnou konfesijní identitu a podporoval intelektuální rozvoj církve. Díky jeho reformám se kyjevská metropolitní arcidiecéze stala jedním z nejvýznamnějších center pravoslavného světa.

„Akademii každoročně navštěvovalo více než tisíc studentů ze všech společenských vrstev. Pocházeli nejen z Ukrajiny, ale i z Běloruska, Srbska, Bulharska, Černé Hory, Ruska, Moldávie a Řecka.“

# Polykonfesionalita
# a multikulturalismus

V sedmnáctém a osmnáctém století se na území dnešní Ukrajiny usídlilo mnoho etnických a náboženských skupin, mimo jiné Poláci, Arméni, Němci, Tataři a Řekové. V osmnáctém století se v Hetmanátu usadily první skupinky Rusů. V polovině sedmnáctého století žilo na střední a východní Ukrajině až 150 tisíc Židů. Během kozáckého povstání byli stejně jako římskokatolíci spojováni s náboženskými a společenskými nepřáteli kozáků – pány a jejich spojenci. Židé pak nesměli v Hetmanátu trvale žít, směli jen dočasně přijíždět, například jako obchodníci. S konvertity ke křesťanství se však zacházelo bez předsudků a někteří z nich se začlenili mezi kozáckou elitu a do pravoslavné církevní hierarchie. Judaismus i římskokatolická církev zanechaly v kulturní krajině ukrajinských vojvodství Polsko-litevské unie pozoruhodné stopy. Na území Ukrajiny pod ruskou kontrolou mělo monopol pravoslaví.

V osmnáctém století se ukrajinská oblast Podolí stala kolébkou chasidismu, jehož stoupenci dnes žijí po celém světě. Zakladatel hnutí, rabín Jisra'el ben Eliezer (cca 1700–1760, známý také jako Ba'al Šem Tov nebo Bešt), žil a zemřel v obci Medžybiž a proslul jako léčitel a učitel. Přívrženci nového hnutí věřili, že modlitbou a mystickým intelektuálním rozjímáním mohou komuniko-vat s Bohem, kázali zbožnost a prožívání každodenní radosti. Ke známým

židovským historickým stavbám na Ukrajině patří synagoga ze sedmnáctého století ve městě Husjatyn postavená v opevněném slohu s maurskými prvky (obr. 12, s. 129).

Významným kulturním a náboženským centrem se stal římskokatolický klášter bosých karmelitánů v Berdyčivu, založený v první polovině sedmnáctého století. Jeho zakladatel Janusz Tyszkiewicz (ukrajinsky Januš Tyškevyč – pozn. red.) pocházel ze starobylé a bohaté šlechtické rodiny z Kyjevské oblasti. U klášterního kostela Panny Marie fungovala řeholní bratrstva, hudební kapela a od konce osmnáctého století také školy. Proslulost karmelitánům přinesla zázračná ikona Panny Marie Berdyčivské, která lákala poutníky, a tiskárna působící v letech 1758 až 1844. Z karmelitánských tiskařských strojů vzešlo téměř tisíc titulů, většinou v polštině a latině, ale i ve francouzštině, němčině a ruštině. Jen do konce osmnáctého století bylo vydáno 499 titulů. Kromě náboženské literatury tiskárna vydávala i světské dějiny, beletrii a učebnice. Po celé Ukrajině byly zvlášť proslulé berdyčivské kalendáře: roční almanachy, jež vycházely v tisícových nákladech a obsahovaly hospodářské, náboženské, historické i odborné informace (například o soudobých evropských panovnících a významných veřejných osobách).

V pravoslavné církvi získala v sedmnáctém a osmnáctém století zvláštní význam postava apoštola Ondřeje (ukrajinsky Andrij). Podle legendy to byl on, kdo na kopci nad řekou Dněpr v místě pozdějšího Kyjeva postavil kříž a prorokoval, že na jeho místě vznikne velkolepé město, z něhož se bude šířit křesťanství. Kyjevská metropolitní arcidiecéze považovala sv. Ondřeje za svého zakladatele a nejvýznamnějšího apoštola. Odkaz na tak velkou autoritu umožňoval církvi obhajovat svůj apoštolský původ. V konfesijní konkurenci první poloviny sedmnáctého století se tak bránila oponentům, kteří ji obviňovali z nedostatečné legitimity. Na místě, kde prý měl apoštol Ondřej vztyčit svůj

**13**
**Klášter bosých karmelitánů**
První polovina 17. století
Berdyčiv, Žytomirská oblast

14
**Chrám svatého Ondřeje
(tzv. Andrijivska cerkva)**
Francesco Bartolomeo
Rastrelli (architekt)
1744 – 60. léta 18. století
Kyjev

křiž, byly v roce 1744 položeny základy kamenného chrámu. Na tento projekt přispěla sama ruská carevna Alžběta Petrovna. Na místě již od třináctého století stál dřevěný kostelík Povýšení svatého Kříže. Několikrát byl zničen a přestavěn a roku 1690 byl po jedné z rekonstrukcí zasvěcen sv. Ondřejovi. V roce 1724 tato dřevěná stavba spadla. Přejmenování kostela na konci sedmnáctého století nebyla náhoda: moskevský patriarcha ke své jurisdikci nedlouho předtím připojil kyjevskou metropolitní arcidiecézi. Kyjevští církevní představitelé použili jméno apoštola proto, aby Moskvě znovu připomněli prvenství Kyjeva coby náboženského centra a jeho starobylé vazby na Konstantinopol (sv. Ondřej je považován za prvního konstantinopolského patriarchu).

Práce na kamenném chrámu byly zahájeny v roce 1747 již pod patronátem carského trůnu. Po roce 1761 však Petrohrad ztratil o projekt zájem a vysvěcení kostela proběhlo bez pompy, jež doprovázela položení základního kamene. Stavbu navrhl Francesco Bartolomeo Rastrelli, italský architekt v ruských službách. V Kyjevě nikdy nebyl a neznal místo budoucí stavby, jehož specifikem byla kolísavá hladina spodní vody a neustálé sesuvy půdy. Tyto problémy přinášely neustále se opakující potíže. Již po dokončení kostela na konci šedesátých let sedmnáctého století se musely provést stavební úpravy. Od té doby bylo nutné samotný chrám nebo kopec, na němž stojí, zpevňovat ještě jednou v osmnáctém, čtyřikrát v devatenáctém a šestkrát ve dvacátém století. Úpravy budou pravděpodobně pokračovat i nadále.

Výšivka je jednou z nejčastějších forem výzdoby tradičního ukrajinského textilu. Typické vyšívané předměty v ukrajinském umění jsou dámské a pánské košile (tzv. vyšyvanky) a obřadní látky (tzv. rušnyky). Bohatě vyšívané rušnyky byly důležitým uměleckým prvkem lidového interiéru a svou roli hrály také v lidových rituálech i jako součást nevěstina věna. Ukrajinská muzea – včetně Muzea Ivana Hončara v Kyjevě, kde jsou uloženy některé z níže zobrazených textilií – vlastní sbírky nádherných ukázek lidových výšivek z období od počátku osmnáctého do dvacátého století.

*Na ukrajinských výšivkách se dochovalo značné množství geometrických
ornamentálních motivů, jež kdysi odkazovaly na magii. Spolu se starými
abstraktními vzory se ve vyšívaných vzorech postupně objevovaly i nové, realističtější
prvky, a to především květinové. Charakteristickým rysem lidové výšivky je různorodost
technik, často kombinovaných. Tradičně se vyšívalo nitěmi, jež se barvily přírodními
barvivy z kůry stromů, listů, květů a plodů. Viz s. 242.*

# DEVATENÁCTÉ STOLETÍ A FIN DE SIÈCLE

## *(1800–1917)*

**Alisa Ložkina**

U krajinské umění devatenáctého a počátku dvacátého století je neoddělitelně spjato s dějinami země v tomto období. Ukrajina vstoupila do devatenáctého století rozdělená. Po třetím dělení Polska v roce 1795 si západní Ukrajinu rozdělily rakouská monarchie a Rusko. Země na východ od řeky Dněpr byly ruským spojencem již od druhé poloviny sedmnáctého století, a když v osmnáctém století vznikla Ruská říše, staly se v podstatě její kolonií. Na začátku devatenáctého století se zdálo, že všechny vzpomínky na Chmelnického povstání z let 1648 až 1654 a hrdinskou minulost kozáckého Hetmanátu byly jednou provždy zapomenuty. Ukrajina se stala západní výspou Ruské říše.

Po rusko-turecké válce (1768–1774) Osmanská říše postoupila Rusku území na dolním toku Dněpru, přístavy kolem Azovského moře a poté i Krym. Od konce osmnáctého století tuto oblast kolonizovali přistěhovalci z jiných částí Ukrajiny a lidé různých národností – Bulhaři, Řekové, Moldavané a další – kteří do těchto vzdálenějších zemí odcházeli díky relativně větší svobodě. Na jihu vznikala nová města: Jekatěrinoslav (dnešní Dnipro), Mykolajiv, Cherson, Oděsa, Sevastopol či Mariupol, která byla aktivně obydlována a rozvíjela se v devatenáctém století. Významně se rozrostl i Kyjev. Potřeba funkčních a harmonických městských částí vedla ke zvýšení počtu a postupně i kvality budovaných stavitelských projektů. Na přelomu osmnáctého a devatenáctého století v architektuře převládal klasicismus. Příkladem tohoto slohu je kyjevská zbrojnice, tzv. arzenál (1784–1801), rozlehlá, téměř čtvercová stavba postavená jako součást obranného opevnění kyjevsko-pečerské pevnosti. Dnes v této historické budově sídlí největší kulturní a výstavní komplex na Ukrajině, Mysteckyj Arsenal.

V zájmu posílení západních hranic své rozsáhlé říše Rusko potlačovalo místní svobody, zejména v oblastech, kde byla carská autorita křehčí. V roce 1775 byla na příkaz carevny Kateřiny II. rozpuštěna Záporožská Sič (bašta kozáckého státu). Bývalá kozácká elita se postupně rusifikovala a začlenila se do carských struktur. Valná část kozáků se počátkem devatenáctého století ostatnímu obyvatelstvu odcizila. Většina šlechticů například v každodenním životě mluvila francouzsky. Mezi vzdělanci se snoubil obdiv k hrdinům Francouzské revoluce a myšlenkám osvícenství s mysticismem pravoslavné víry. Ukrajina byla rozdělena na několik gubernií a její správní a kulturní vývoj byl omezen.

Přesto si dokázala uchovat svou identitu a postupně utvářela vlastní kulturní kánon. Tento vývoj byl zpočátku rychlejší na poli literatury. V roce 1798 vyšly první tři části *Aeneidy*, nejvýznamnějšího díla té doby – burleskní parodie na Vergiliův hrdinský epos *Aeneis* Ivana Kotljarevského. Šlo o vůbec první dílo napsané v hovorové ukrajinštině, které se stalo základem pro rozvoj literární ukrajinštiny a moderní národní literatury.

*strana 134*
**Taras Ševčenko**
*Kateryna*, **1842**
*Viz obr. 3, s. 142*

Rozvíjelo se také výtvarné umění. Na počátku devatenáctého století v něm převládaly tradiční žánry jako portrét a krajinomalba, zatímco rozvoj sakrálního umění se v porovnání s předchozími obdobími poněkud zpomalil. V ukrajinských portrétech se stále ještě projevoval vliv kozáckého umění věrného plošnosti a ornamentálnosti. Postupně se však malířské techniky zdokonalily pod vlivem Carské akademie umění, založené v Petrohradě v roce 1757. Akademie ukrajinským výtvarníkům carského Ruska dlouho sloužila jako vodítko, protože vlastní výtvarné vzdělávací instituce Ukrajina neměla až do konce devatenáctého století.

V daném období se zvlášť rychle vyvíjela portrétní malba. Způsobovala to především poptávka – hlavními zákazníky umělců byla bohatá šlechta. Do vynálezu fotografie zbývalo už jen několik let a techniky olejomalby byly již natolik dostupné, že si svůj realistický a kvalitní portrét a podobizny svých blízkých mohli dovolit i lidé s průměrnými příjmy.

V době, kdy se Ukrajina politicky nejvíce integrovala do carských struktur, prudce zesílil zájem o kozácké dědictví, ukrajinský folklor a minulost. Souviselo to se šířením romantismu v Evropě a jeho zaměřením na otázky národní identity. Ohromný dopad měly tři svazky sborníku ukrajinských lidových písní, které v letech 1827 až 1849 vydal folklorista Mychajlo Maksymovyč. V Haliči (tehdy pod nadvládou Rakouska-Uherska) vznikla literární skupina Ruska Trijcja (Ruthénská trojice), jejíž členy ovlivnil romantismus a tvorba výtvarníků z východní Ukrajiny. Skupina cestovala po Haliči a Zakarpatí (česky též Podkarpatská Rus – pozn. red.), zaznamenávala folklor, sepsala básnickou sbírku *Syn Rusi* a vydala almanach *Rusalka Dnistrovaja* (Dněsterská rusalka, 1836).

Umění a kultura na ukrajinských územích, jež byla součástí carského Ruska, podléhaly ve druhé polovině devatenáctého století přísné cenzuře. Proto se oblíbený žánr historické malby na Ukrajině rozvíjel mnohem méně než na ruských územích. V roce 1863 byl vydán tzv. Valujevův oběžník. Tento dekret zakázal tisk náboženské a vzdělávací literatury v ukrajinštině a povoloval jen díla považovaná za „krásnou literaturu". V roce 1876 vznikl ještě přísnější dokument, tzv. Emžský dekret, který v carském Rusku zakazoval užívat ukrajinský jazyk a dovážet ukrajinské knihy ze zahraničí. Výjimkou byly za určitých podmínek historické dokumenty a beletrie, které ovšem i nadále podléhaly cenzuře. Zákaz se vztahoval také na ukrajinské divadlo, koncerty ukrajinských písní a výuku v ukrajinštině na základních školách. Některé z těchto zákazů byly počátkem osmdesátých let devatenáctého století zrušeny, cílem však stále bylo potlačovat ukrajinské národní hnutí a vymazat jeho kolektivní paměť. Emžský dekret byl zrušen až po roce 1905.

Ve druhé polovině devatenáctého století hráli ve výtvarném umění na Ukrajině významnou roli tzv. peredvižniki (putovní umělci). Tato skupina výtvarníků hledala východisko z toho, co vnímala jako krizi akademického umění. Byli inspirováni levicově radikálními idejemi vzdělaných kruhů a zejména jejich zápal pro národovectví odmítal elitářství a kladl důraz na osvícenství. Tvorba peredvižníků dosáhla vrcholu v sedmdesátých a osmdesátých letech devatenáctého století. Členové skupiny ve svých malbách experimentovali a konzervativní výtvarný styl se snažili přizpůsobit sociálnímu programu blížícího se nového století s jeho nastupující proletářskou revolucí. Na konci století se však tato představa o kompromisu mezi starou formou a novým obsahem vyčerpala a umění peredvižníků stagnovalo.

Centrem hnutí sice bylo Rusko, pozoruhodnými malbami však k němu přispěla řada výtvarníků z Ukrajiny. Významným představitelem se stal Mykola Kuznecov (rusky Nikolaj Kuzněcov, pozn. red.), původem z Oděsy. S těmito umělci vystavoval také Charkovan Porfyrij Martynovyč a s hnutím byl úzce spjat i vynikající představitel oděské školy Kyriak Kostandi. Kostandi byl nejen výtvarník, ale také pedagog, veřejný činitel a ředitel muzea, který měl velký vliv na rozvoj umění v Oděse. V roce 1890 se stal jedním ze zakladatelů Spolku jihoruských umělců. Vznikl po vzoru peredvižníků a v kulturním životě města na přelomu devatenáctého a dvacátého století sehrál klíčovou roli.

Ukrajinské výtvarné umění bylo až do konce devatenáctého století závislé na ruských institucích – zejména na Carské akademii umění – a na evropských akademiích, kam umělci jezdili studovat. V ukrajinských městech žádné plnohodnotné výtvarné školy neexistovaly až do přelomu devatenáctého a dvacátého století. V roce 1899 získala oficiální status výtvarné akademie Oděská výtvarná škola. První soukromou školu kreslení a malování v carském Rusku otevřela roku 1869 malířka Marija Rajevska-Ivanova. Základem nové Kyjevské umělecké školy se pak v roce 1901 stala škola kreslení Mykoly Muraška, kde vyučovali výtvarníci Fedir Kryčevskyj, Mykola Pymonenko a Oleksandr Muraško. Mezi studenty byli budoucí avantgardní umělci včetně Kazymira Malevyče (známý jako Kazimir Malevič, pozn. red.), Oleksandry Ekster či Oleksandra Archypenka (známý jako Alexander Archipenko, pozn. red.). Během krátké existence nezávislé Ukrajinské lidové republiky byla dne 18. prosince 1917 založena Ukrajinská akademie umění.

Na přelomu devatenáctého a dvacátého století se Kyjev rychle rozvíjel a měnil v metropoli s velkými kulturními ambicemi. Částečně to způsobil rozmach kapitalismu na Ukrajině a rychlý růst průmyslu. Ukrajinské výtvarné hnutí celá desetiletí podporovala rodina Tereščenkových, významných ukrajinských producentů cukru a vlastníků půdy. Otec Ivan a syn Mychajlo patřili k významným sběratelům umění a filantropům v carském Rusku. Po Říjnové revoluci v roce 1917 byla jejich sbírka znárodněna a stala se základem sbírky Národního muzea Kyjevská obrazárna, jež se nachází v původním domě rodiny Fedira Tereščenka. V sousedství se nachází další sídlo přestavěné na muzeum – bývalý dům významných kyjevských filantropů Bohdana a Varvary Chanenkových (nejstarší dcery Mykoly Tereščenka), kde je dodnes vystavena jejich rozsáhlá sbírka klasického evropského a asijského umění. V roce 1899 bylo v kyjevské budově postavené Vladyslavem Horodeckým (polsky Władysław

Horodecki – pozn. red.), slavným polsko-ukrajinským architektem z období fin-de-sièclc, otevřeno Muzeum starožitností a výtvarného umění. Polovinu prostředků na výstavbu muzea poskytla rodina Tereščenkových. Dnes je zde Národní umělecké muzeum Ukrajiny s nejreprezentativnější sbírkou ukrajinského výtvarného umění. Horodeckyj také postavil zdobný Dům s chimérami (na snímku výše), dnes oficiální sídlo prezidenta.

Na počátku dvacátého století se ukrajinské umění ocitlo na křižovatce. Krize, s níž se potýkal akademismus, neschopnost realistické malířské tradice reagovat na vynález fotografie a požadavky rozvíjející se kapitalistické společnosti – to vše vedlo k prudkému rozvoji obecné formy modernismu. Právě ten předurčil směřování několika generací umělců. Blížil se rok 1917 a vládl všeobecný pocit sociální katastrofy a změny. Ve výtvarných ateliérech už běžela umělecká revoluce v plném proudu. Koloniální romantismus a etnografický realismus Mykoly Pymonenka prošel během pouhých patnácti let rychlou proměnou, která začala nesmělými experimenty s impresionismem, následovala vášeň pro modernu, tedy kosmopolitní avantgardu, až umělec nakonec zaměřil svou pozornost na utopickou abstrakci. Pro ukrajinské umění to bylo období radikální změny orientace, kdy se z lokální tvorby stalo umění s celoevropským dosahem, jež se začlenilo do celosvětového hnutí. Ve směsici modernistických tendencí, charakteristických pro evropské umění přelomu devatenáctého a dvacátého století, našli své záchytné body výtvarníci v obou částech Ukrajiny – těch, jež byly pod kontrolou carského Ruska i Rakouska-Uherska. V jistém smyslu šlo o nejsilnější vlnu globálních vlivů v dějinách ukrajinského umění. Na další takové souznění s celosvětovou uměleckou scénou si ukrajinské umění bude muset počkat až na konec dvacátého století, kdy nastoupí první poperestrojková generace výtvarníků.

# Vazalové a jejich páni

V první polovině devatenáctého století žila velká část ukrajinského obyvatelstva v podmínkách připomínajících otroctví. Jako nevolníci byli rolníci ze zákona připoutáni k půdě, kterou vlastnil pán. V carském Rusku bylo nevolnictví zrušeno až v roce 1861. V té době existovaly dva, na první pohled zcela oddělené proudy umění a kultury: ten první sloužil potřebám elity, zatímco ten druhý se považoval za nekultivovaný a lidový. Ve skutečnosti však hranice mezi „vysokým" a lidovým uměním nebyla nepřekonatelná. Umění pro elity často tvořili lidé narození jako nevolníci a lidové umění si někdy vypůjčovalo estetiku a technologické vynálezy krásného umění.

Jedním z hlavních představitelů ukrajinského a ruského carského umění přelomu osmnáctého a devatenáctého století byl akademik Carské akademie umění Vladimir Borovikovskij (ukrajinsky Volodymyr Borovykovskyj – pozn. red.). Pocházel z Myrhorodu, města v Poltavské oblasti, které ve třicátých letech devatenáctého století proslavil známý ukrajinsko-ruský spisovatel Nikolaj Gogol (ukrajinsky Mykola Hohol). Rodina Borovikovského měla ukrajinské kozácké kořeny: jeho otcem byl malíř ikon Luka Borovyk (jehož příjmení v ukrajinštině znamená „hřib smrkový"). Staré kozácké rody měly často podobně legrační příjmení, je tedy příznačné, že Borovykovi si stejně jako mnozí příslušníci tehdejší kozácké elity své příjmení „vylepšili"; vzniklo tak aristokratičtější a méně ukrajinsky znějící jméno Borovikovskij. V mládí Borovikovskij sice sloužil v armádě, ale později se věnoval výhradně malířství. Začínal s ikonomalbou a po přestěhování do Petrohradu se stal známým portrétistou a mistrem menších a reprezentativních portrétů.

K jeho velkému odkazu patří působivá podobizna Dmitrije Troščinského (ukrajinsky Dmytro Troščynskyj – pozn. red.; obr. 1), významného carského činitele z přelomu osmnáctého a devatenáctého století a mocného statkáře ze starého ukrajinského kozáckého rodu. Jeho podobizna je ve stylu reprezentativního portrétu typického pro toto období. O tom, že znázorňuje významného státníka, svědčí řády na kabátu a bohorovný výraz portrétovaného. Troščinskij je zobrazen na pozadí uměleckých předmětů, jež zjevně odkazují na jeho roli mecenáše a znalce výtvarného umění. V carském Rusku Troščinskij zastával klíčové funkce – působil jako ministr správy majetku a poté ministr spravedlnosti – ke konci života se však uchýlil do ústraní na rodné Poltavsko. Patřilo mu tam šest tisíc rolníků a ohromné panství, jehož střediskem byla vesnice Kybynci. Místní obyvatelé jí přezdívali „ukrajinské Athény", protože na panství se dařilo kulturnímu životu: Troščinskij tam zval umělce, sídlilo tam jeho slavné domácí divadlo, ve kterém jako herci vystupovali nevolníci, a navštěvovali ho nejvýznačnější šlechtici a přední intelektuálové té doby.

1
**Vladimir Borovikovskij**
*Portrét ministra spravedlnosti Dmitrije Troščinského*, 1819
Olej na plátně
100 × 83 cm
Národní umělecké muzeum Ukrajiny, Kyjev

Hranici mezi aristokratickým a lidovým uměním stírala skutečnost, že umělci se rekrutovali i mezi nevolníky. Šlechtici často učili základům výtvarného umění talentované mladíky z řad svých sedláků a jejich v podstatě bezplatnou práci pak využívali při tvorbě portrétů a výzdobě svých honosných panství. Jedním z nejvýznamnějších nevolnických výtvarníků počátku devatenáctého století byl Rus Vasilij Tropinin. Narodil se jako nevolník, krátce studoval na Carské akademii umění, ale pak jej povolal jeho pán, statkář z vesnice Kukavka na střední Ukrajině. Tropinin na jeho panství strávil téměř dvacet let a plnil své povinnosti umělce, architekta a učitele kreslení statkářových dětí. V Kukavce vytvořil celou řadu portrétů ukrajinských obyvatel různých společenských vrstev (obr. 2). Ve své tvorbě věnoval velkou pozornost i svým bratrům nevolníkům – ukrajinským rolníkům. Dnes si díky jeho realistickým malbám můžeme představit, jak vypadali Ukrajinci na počátku devatenáctého století. Tropinin za své vynikající dílo získal v sedmačtyřiceti letech svobodu, jeho děti však nevolníky zůstaly.

2 (vlevo dole)
**Vasilij Tropinin**
*Ukrajinec,* 1820
Olej na plátně
65,5 × 49,5 cm
Národní umělecké
muzeum Ukrajiny, Kyjev

3 (vpravo dole)
**Taras Ševčenko**
*Kateryna,* 1842
Olej na plátně
93 × 72,3 cm
Národní muzeum
Tarase Ševčenka, Kyjev

Nejvýraznějším tvůrcem, který překlenul propast mezi elitním a rolnickým uměním, byl nejvýznamnější ukrajinský básník a výtvarník Taras Ševčenko (1814–1861). Pro Ukrajinu není jen kulturní osobnost, ale i symbol – ikona, jaké se v dějinách země nikdo nevyrovná. Ševčenko se narodil v rodině nevolníků a jeho rodiče záhy zemřeli. Mimořádné výtvarné schopnosti projevoval od útlého věku a kreslit se učil od venkovského kostelníka a místních malířů. V šestnácti letech se stal sluhou statkáře Pavla Engelhardta, se kterým se v roce 1831 přestěhoval do Petrohradu. Tam studoval kresbu u málo známého cechovního malíře Vasilije Širjajeva. Roku 1836 se seznámil s krajanem, ukrajinským malířem Ivanem Sošenkem, který ho představil slavným ruským výtvarníkům Alexeji Venecianovovi a Karlu Brjullovovi a básníku Vasiliji Žukovskému. Ohromeni jeho talentem mladého nevolníka od Engelhardta s velkými obtížemi vykoupili a dali mu svobodu. Tarase Ševčenka pak přijali na Carskou akademii umění, kde se stal žákem Karla Brjullova.

Kromě kreslení a malování psal Ševčenko také poezii. V roce 1840 mu vyšla nevelká sbírka básní s názvem *Kobzar*, jež znamenala předěl v dějinách ukrajinské literatury a kultury. Jejími stránkami do úmoru listovali a její slova znali nazpaměť lidé v celé zemi, v salonech inteligence i v chudých venkovských domácnostech. Ševčenko byl sice nadaný výtvarník, zejména v oblasti grafiky, jako básník však platil za génia. V roce 1842 namaloval svůj nejvýznamnější obraz *Kateryna* (Kateřina). Vznikl na motivy jeho stejnojmenné básně o nešťastném osudu ukrajinské dívky, jež se zamiluje do projíždějícího ruského vojáka. Brzy zjistí, že s ním čeká dítě, zbabělý voják ji však opustí a Kateryna zůstává sama a čelí bezmezné krutosti a odsouzení společnosti. Báseň ani obraz nemá – díky pochopení tragédie žen v patriarchální společnosti a Ševčenkově odvaze zvolit si takové téma – v dějinách ukrajinského umění, a vlastně ani v umění tehdejšího carského Ruska, obdoby.

V roce 1847 se Ševčenko v Kyjevě sblížil s historikem Mykolou Kostomarovem a vstoupil do Cyrilometodějského bratrstva, tajného kroužku příslušníků inteligence, kteří se zajímali o myšlenku federace slovanských republik s centrem v Kyjevě. Za účast ve spolku byl zatčen a na rozdíl od ostatních členů dostal nepřiměřeně tvrdý trest. Carská administrativa ho v touze pomstít se bývalému nevolníkovi za ostře formulované, patriotické básně kritizující carské Rusko poslala do vyhnanství do Orenburské oblasti jako vojína. Strávil deset let v opuštěných pevnostech na hranicích dnešního Ruska a Kazachstánu a na březích Aralského moře. Krutost rozsudku umocňoval výslovný zákaz kreslení. I přes tyto překážky však Ševčenko vytvořil několik grafických děl, jež měla v dějinách ukrajinského exilového umění velký význam. V drobných, asketických skicách zaznamenával nejen okolní krajinu, ale i každodenní život ve vojenských kasárnách a v kazašských vesnicích.

# Sporný odkaz carského Ruska

Označit většinu umělců z devatenáctého a počátku dvacátého století za osobnosti patřící do jednoznačně ukrajinského či ruského kontextu je vzhledem k postavení Ukrajiny jako kolonie carského Ruska obtížné. Nejčastěji patřili do obou kultur a lišili se jen mírou zájmu o Ukrajinu a ukrajinské náměty. Často šlo spíše o formalitu danou místem narození. Řada umělců, které s Ukrajinou zdánlivě pojí jen jméno, ve skutečnosti vytvořila významná díla a cykly s ukrajinskou tematikou nebo spisy, jež svědčí o jejich složité a nejednoznačné identitě. Patřil k nim například Ivan Ajvazovskij, pozoruhodný výtvarník arménského původu, který se narodil ve Feodosiji (na Krymu) a maloval mořské scenérie. Významnou součástí jeho odkazu jsou pozoruhodná díla zachycující Ukrajinu, například *Větrné mlýny v ukrajinské stepi při západu slunce* (1862), *Ukrajinská krajina s čumaky v měsíčním světle* (1869; čumaci byli tehdejší pozemní obchodníci se zbožím – pozn. red.) a *Mlýn na břehu řeky. Ukrajina* (1880). Několik děl s ukrajinskou tematikou vytvořil také Archip Kuindži, výtvarník řeckého původu pocházející z Mariupolu: *Ukrajinskou noc* (1876), *Večer na Ukrajině* (1878) a *Ranní Dněpr* (1881). Jeho mistrovským dílem je slavná malba *Měsíční noc na Dněpru* (1880), jejíž námět zopakoval i v dalším obraze s názvem *Noc na Donu* (1882; obr. 4), který je dnes součástí sbírky Národního muzea Kyjevská obrazárna.

Jednou z mála žen mezi výtvarníky devatenáctého století byla Marie Baškirceva. Ve světě je známá jako ruská umělkyně, ačkoli se narodila a do dvanácti let žila v Poltavské oblasti na Ukrajině. Později odešla do západní Evropy, kde studovala malířství a vedla si deník. Právě ten ji po smrti proslavil: Baškirceva zemřela na tuberkulózu v pouhých pětadvaceti letech. V Muzeu umění ve městě Dnipro je uložen obraz *V ateliéru* (1881; obr. 5, s. 146), který namalovala ve svých třiadvaceti letech. Znázorňuje hodinu malby v Paříži na konci devatenáctého století a ukazuje, kolik žen mělo v té době živý zájem o výtvarné kurzy.

Na Ukrajině působilo v různých obdobích také mnoho ruských umělců, kteří ovlivnili vývoj místního výtvarného umění, a ukrajinský kontext je pro pochopení

4

Archip Kuindži
**Noc na Donu, 1882**
Olej na plátně
105 × 145 cm
Národní muzeum
Kyjevská obrazárna

„Řada umělců, které s Ukrajinou zdánlivě pojí jen jméno, ve skutečnosti vytvořila významná díla a cykly s ukrajinskou tematikou nebo spisy, jež svědčí o jejich složité a nejednoznačné identitě."

„Baškirceva je ve světě známá jako ruská umělkyně,
ačkoli se narodila a do dvanácti let žila v Poltavské
oblasti na Ukrajině.“

jejich tvorby stejně důležitý. V polovině osmdesátých let devatenáctého století působil v Kyjevě například Michail Vrubel, nejvýznamnější představitel ruské moderny a symbolismu. Pro tamní chrám svatého Cyrila (tzv. Kyrylivska cerkva – pozn. red.) namaloval fresky a ikony a pro chrám svatého Vladimíra fresky skicoval. Začal také rozvíjet stěžejní motiv démona, který se v jeho díle často opakuje. Vrubelovo kyjevské období (stejně jako jeho zralejší díla) později významně ovlivnilo vývoj ukrajinské moderny. V Kyjevě od osmdesátých let devatenáctého století až do své smrti v roce 1921 žil a tvořil také polský malíř Wilhelm Kotarbiński, další představitel moderny a secese. Pod vedením Viktora Vasněcova se také podílel na malbě fresek v chrámu svatého Vladimíra.

Výzdoba chrámového interiéru představovala milník ve vývoji kyjevského uměleckého života konce devatenáctého století. Na projekt dohlížel přední petrohradský profesor, kunsthistorik a archeolog Adrian Prachov, který v pozdějším rozvoji výtvarného umění sehrál nedocenitelnou roli. Právě on přizval k pracím na kyjevském chrámu slavné ruské umělce: Viktora Vasněcova, Michaila Něstěrova, bratry Pavla a Alexandra Svedomské, Vrubela i Kotarbińského.

# Národní identita

V době hledání nových politických idejí a probouzení národního uvědomění
do ukrajinského umění pozvolna pronikala moderna. Přestože si vládu nad
Ukrajinou rozdělily dvě říše, na konci devatenáctého století sílil zájem o její
dějiny a byly položeny základy pro vnímání Ukrajiny jako autonomní kulturní
a historické entity. V těchto souvislostech měly zvlášť velký význam obrazy
s folklorní a historickou tematikou, jež hrály významnou roli při utváření identity
nové ukrajinské inteligence. Na počátku dvacátého století se výtvarný projev
radikálně proměnil, hledání národního stylu je však patrné v dílech umělců se
zcela rozdílnými názory a zázemím.

Důležitou postavou pro pochopení dalšího vývoje ukrajinského výtvar-
ného umění je Ilja Repin, jeden z nejlepších malířů konce 19. století. Pocházel
z Čuhujiva v Charkovské oblasti, vzdělání získal v Petrohradě a později se stal
aktivním členem peredvižniků. Přestože byl význačným představitelem carského

7
**Ilja Repin**
*Záporožští kozáci píší dopis*
*tureckému sultánovi*, 1893
**(druhá verze)**
Olej na plátně
174 × 265 cm
Charkovské muzeum
výtvarného umění

**Mykola Pymonenko**
*Dost bylo laškování*, 1895
Olej na plátně
79 × 108 cm
Národní umělecké muzeum
Ukrajiny, Kyjev

uměleckého establishmentu, po celý život se zajímal o svou vlast a její dějiny, stýkal se s osobnostmi ukrajinské kultury a řadu děl věnoval ukrajinské tematice. Jeho nejznámějším obrazem je *Záporožští kozáci píší dopis tureckému sultánovi* (1880–1891). K vytvoření tohoto rozměrného historického obrazu Repina inspirovaly rozhovory s Dmytrem Javornyckým, předním historikem období záporožských kozáků, a jeho vlastní výprava na území bývalé Záporožské Siče v roce 1880. Repinův obraz se stal jedním z nejvěhlasnějších děl s ukrajinskou tematikou. Ovlivnil formování ukrajinské historické malby i vývoj vnímání záporožských kozáků v lidové kultuře a nepřímo se odráží v estetice protestů již v moderní, nezávislé Ukrajině. Ve dvacátém století Repin inspiroval nejen proslulé socialistické realisty, ale i představitele kyjevských neoficiálních intelektuálních kruhů šedesátých a sedmdesátých let.

Dalším realistickým tvůrcem přelomu devatenáctého a dvacátého století, jehož dílo významně ovlivnilo vznik ukrajinské malířské školy, byl peredvižnik Mykola Pymonenko. Jeho tvorba se vyznačovala zobrazováním střípků z lidového života, množstvím etnografických detailů, sentimentem a jasnými barvami. Pymonenko vytvořil romantizovaný obraz ukrajinské vesnice, který dokonale odrážel to, jak stereotypně místní půvab „Malorusi" vnímalo carské Rusko. Zajímavý je osud obrazu *Dost bylo laškování* (1895). Na pozadí ukrajinské idylické krajiny je znázorněna rozhněvaná matka mířící ke dvěma milencům, kteří se bez okolků objímají. Jakmile se výtvarné umění začalo čím dál více reprodukovat v masovém měřítku, stala se tato ironická scéna ze života venkovanů „kultovní klasikou". Prodaly se tisíce reprodukcí v různých verzích, a z díla se tak stala jedna z nejoblíbenějších scén ukrajinské lidové malby dvacátého století. Mezi badateli se pro tento oblíbený lidový výjev vžil název „Petře a Natálie, utíkejte! Blíží se máma s válečkem" – podle výrazného nápisu, který najdeme na mnoha

obrazech tohoto typu. S příchodem masového šíření reprodukcí na počátku
dvacátého století došlo k pronikání narativů z obrazů významných malířů do
lidového umění.

Soustavný zájem o ukrajinský dávnověk je zřejmý v díle Serhije Vasylkivského
z Charkova. Vasylkivskyj byl velmi plodný a zanechal po sobě několik tisíc děl,
převážně malby stepních krajin, historické skici a výjevy ze života ukrajinských
kozáků a rolníků. Obraz *Čumacká cesta do Romodanu* zobrazuje ukrajinské dálkové

obchodníky, kteří se zabývali přepravou zboží po takzvané čumacké cestě. Vozili po ní sůl od krymského pobřeží Černého moře na jižní a střední Ukrajinu a zpět zase obilí a další zemědělské zboží. Velký význam této dopravní tepny v ukrajinské kultuře a folkloru výmluvně odráží skutečnost, že Mléčná dráha se ukrajinsky nazývá Čumacká cesta (Čumackyj šljach).

9
**Serhij Vasylkivskyj**
*Čumacká cesta do*
*Romodanu,* **po roce 1910**
Olej na plátně
60 × 106 cm
Národní umělecké muzeum
Ukrajiny, Kyjev

# Lidové umění

Přestože mělo výtvarné umění paláců k umění rolníků zdánlivě daleko, obě se
nenápadně prolínala. S rozvojem romantismu sílil i vliv lidové kultury na umění
elity. Podobně se v lidovém umění často projevoval vliv šlechtické kultury. Jedním
z příkladů je genealogie západoukrajinských keramických kachlů, jež měly podle
řady badatelů původ v podobných výrobcích určených pro dobová šlechtická
sídla (viz s. 106–107).

Důležitá technika rychlé, předindustriální masové výroby uměleckých
předmětů přišla na západní Ukrajinu ze střední a západní Evropy v polovině
devatenáctého století. Nový postup – při němž se malované výjevy nanášely
na zadní stranu skla – ihned získal na oblibě díky své expresivní zdobnosti
a sytosti barev (obr. 10). Sklo, na něž se barvy nanášely, malbu zároveň chránilo.
Na západní Ukrajině byla technika reverzní malby na sklo žádaná zejména kvůli
produkci ikon pro domácnosti. V Haliči se postupně vyvinul vlastní výtvarný styl,
který se lišil od jiných regionálních stylů, například od toho v Rumunsku, kde se
malba ikon na skle rovněž rozšířila.

Téměř univerzálním výjevem ukrajinského umění je obraz kozáka Mamaje,
který má elegický nádech: kozák sedí se zkříženýma nohama a hraje na tradič-
ní hudební nástroj banduru, vedle sebe má svůj prostý majetek a na pozadí
se pase jeho kůň. O kom ten osamělý ukrajinský bojovník skládá svou píseň?

10 (*vlevo a zcela vlevo*)
**Tradiční volyňské malby na skle**
19. století
Ostroh, Rivnenská oblast

11 (*naproti*)
**Neznámý umělec**
*Kozácký hráč na banduru*
(*Kozák Mamaj*)
První polovina 19. století
Olej na plátně
113 x 104 cm
Národní umělecké
muzeum Ukrajiny, Kyjev

O ztracených spolubojovnících, o světě, který má daleko k dokonalosti, nebo o svém promarněném osudu? Genealogie tohoto příběhu má svůj původ v dávnověku. Někteří badatelé nacházejí dokonce podobnost mezi Mamajem a tradičními buddhistickými obrazy, jež poměrně běžně zdobily příbytky středověkých kočovníků v euroasijské stepi. Oblast Ukrajiny, v níž se obraz Mamaje rozšířil, se překrývala s hranicemi Hetmanátu, což svědčí o propojení tohoto výjevu především se vzpomínkami na kozáky. V devatenáctém století se zkrátka kozák Mamaj našel téměř v každé ukrajinské domácnosti – ať již šlo o venkovskou chalupu, nebo honosné panské sídlo.

# Úsvit moderny

Ukrajinští secesní umělci představují pestrou směsici osobností a příběhů. Snad nejvýznamnějším ukrajinským malířem počátku dvacátého století byl kyjevský rodák Oleksandr Muraško. Absolvoval Carskou akademii umění, byl žákem Ilji Repina a členem spolku Mnichovská secese (skupiny výtvarníků, kteří se v roce 1892 odtrhli od hlavního proudu Mnichovského sdružení umělců) a často navštěvoval Paříž. Dobře se obeznámil s impresionismem a vytvořil si vlastní styl, v němž spojil typickou secesní barevnost a pařížskou lehkost a eleganci s typicky ukrajinským rukopisem. Muraško byl úspěšný zejména jako portrétista. Ve svých malbách věnoval zvláštní pozornost využití barev k zachycení světla a stínu. Právě tato oslnivá hra výrazných a barevných světelných odlesků diváky fascinovala a stala se středobodem většiny jeho pozdějších děl. V roce 1909 získal Muraškův obraz *Kolotoč*, znázorňující dvě dívky na rušném lidovém jarmarku, ocenění na výstavě v Mnichově. Dnes se dílo nachází v budapešťském Muzeu výtvarného umění. V roce 1910 Muraško vystavil dvě díla na benátském bienále a v letech 1911 a 1912 se zúčastnil několika výstav spolku Mnichovská secese. Jedním z jeho nejznámějších obrazů je *Zvěstování*. Inspirovala jej k němu scéna v jeho domě: zahlédl dívku, jež odhrnula lehký tylový závěs a vešla dovnitř z terasy. Kouzlo tohoto okamžiku ho uchvátilo a napadlo ho, že stejně lehce a nehlučně musel do Mariiných komnat vstoupit archanděl Gabriel, když jí přinesl radostnou zvěst.

Na počátku dvacátého století vstoupil na výtvarnou scénu poltavský rodák Vsevolod Maksymovyč, jehož tvorbu formovali nejen Gustav Klimt a Aubrey Beardsley, ale také Michail Vrubel a ruský symbolismus. Na obzoru ukrajinské secese Maksymovyč připomínal jasnou hvězdu, jež neměla dlouhého trvání – ve dvaceti letech spáchal sebevraždu. Přesto se mu během pouhých dvou let (1912 až 1914) podařilo vytvořit úctyhodné množství obrazů, spřátelit se s moskevskými umělci, například s básníkem Velimirem Chlebnikovem, malířem Michailem Larionovem, básníkem Vasilijem Kamenským a dalšími futuristy, zahrát si ve ztraceném avantgardním filmu *Drama v kabaretu futuristů*

12
**Oleksandr Muraško**
*Zvěstování*, 1909
Olej na plátně
198 × 169 cm
Národní umělecké
muzeum Ukrajiny, Kyjev

„Ve svých malbách věnoval zvláštní pozornost využití barev k zachycení světla a stínu. Právě tato oslnivá hra výrazných a barevných světelných odlesků diváky fascinovala a stala se středobodem většiny jeho pozdějších děl.“

(1914) a nově interpretovat hnutí Vídeňské secese prizmatem antické estetiky. Ornamentální výjevy z opulentních hostin (obr. 13), odkazy na antické příběhy, kult krásných těl, dekadence a erotika v jeho dílech tvoří velkolepou směsici a svědčí o mimořádném talentu mladého umělce.

Bohatým zdrojem inspirace byla pro ukrajinské výtvarníky na počátku dvacátého století skupina Vídeňská secese (podobně jako Mnichovská secese založená umělci, kteří v roce 1897 vystoupili z oficiálního svazu výtvarníků). Hlavním představitelem tohoto proudu ukrajinské secese byl výtvarník, básník a dramatik Mychajlo Žuk. Módní secesní styl na Ukrajinu přivezl z Akademie výtvarných umění v Krakově, kde studoval u slavného polského modernisty Stanisława Wyspiańského. Žuk je také neodmyslitelně spjat s Oděsou, kde působil řadu let zejména jako prorektor Oděského institutu umění, z něhož se brzy stala Oděská umělecká škola. Ještě před ruskou revolucí v roce 1917 Žuk učil kreslení básníka Pavla Tyčynu v Černihivském semináři. Podobný světonázor těchto nadaných mužů znamenal začátek přátelství. Tyčyna se stal hlavním námětem Žukovy třípanelové dekorativní malby *Bílé a černé* (1912–1914). Mladý modernistický básník – jehož literární díla z tohoto období nijak nesvědčí o budoucnosti významného sovětského spisovatele a hlasitého přívržence kolektivizace a stalinské industrializace – je na ní znázorněn v podobě temného anděla. Panó propojují pro Žuka typické rostlinné motivy, symbolistická poeti-

13
**Vsevolod Maksymovyč**
*Hostina*, **1913**
Olej na plátně
210 × 335 cm
Národní umělecké
muzeum Ukrajiny, Kyjev

ka a bohatá ornamentálnost charakteristická pro secesi. Temný anděl hraje na píšťalu a naslouchá mu dospívající dívka s bílými křídly, která strnula při modlitbě či v plaché nejistotě. Tuší snad proměnu básníka-vlkodlaka Tyčyny a smutný osud závratně krásné ukrajinské země, jež se na obraze rozprostírá za křídly obou postav?

Na západní Ukrajině, jež byla tehdy pod nadvládou Rakouska-Uherska, se modernismus rozvíjel v jiných kulturních souvislostech a pod silným vlivem tehdejšího polského, rakouského a maďarského výtvarného umění. Několik umělců však dokázalo postihnout oba ukrajinské kontexty, jako by předjímali budoucnost umění jednotné Ukrajiny. Významnou osobností pro pochopení vývoje západoukrajinské výtvarné tradice je například Oleksa Novakivskyj, absolvent Akademie výtvarných umění v Krakově, který tvořil na pomezí impresionismu, postimpresionismu a expresionismu. Novakivskyj se v roce 1913 přestěhoval do Lvova na pozvání významného mecenáše umění a zakladatele Lvovského národního muzea, metropolity Andreje Šeptyckého. Tento filantrop sehrál ve vývoji ukrajinského umění v prvních desetiletích dvacátého století nedocenitelnou roli. Coby metropolita (pravoslavná a řeckokatolická církevní funkce je obdobou římskokatolického kardinála) byl otevřený novým názorům a podporoval modernistické výtvarné hnutí. Díky jeho autoritě byl modernismus ve Lvově spjat s náboženskými tématy.

S podporou Šeptyckého založil Novakivskyj ve Lvově roku 1923 výtvarnou školu. Navštěvovala ji řada významných umělců pozdějších hnutí, například Roman Selskyj. V Novakivského díle se úzce prolínají modernistické techniky s ukrajinskými tradicemi a náboženskou estetikou. Opakujícím se motivem jeho tvorby je také mytologický obraz Lédy, kterou svedl všemocný Zeus v podobě labutě (obr. 15, s. 158–159). S tímto věčným příběhem lásky božské bytosti a pozemské ženy si pohrává i několik dalších děl, která Novakivskyj vytvořil.

15
**Oleksa Novakivskyj**
*Léda*, 20. léta 20. století
Uhel na papíře
143 × 220 cm
Soukromá sbírka

**Kabat**

1920

Oblast kolem řeky Sanu,
západní Ukrajina

Domácí plátno; šicí stroj,
protkané plátno

Délka 51 cm

Muzeum Ivana Hončara, Kyjev

**Dámský svrchní oděv**

1883

Střední podněpří, Kyjevská
oblast, střední Ukrajina

Domácí výroba; plstění, ruční šití,
aplikace, šití na stroji, ruční výšivka

Délka 103 cm

Muzeum Ivana Hončara, Kyjev

**Dětská košilka**

20. století

Huculská oblast, západní Ukrajina

Bavlněná vyšívací příze, bavlna,
satén, tovární tkanina; ruční šití,
stonkový steh, ruční výšivka

Délka 43 cm

Muzeum Ivana Hončara, Kyjev

*Ukrajinský kroj v sobě v minulosti spojoval
charakteristické slovanské ozdoby a prvky, jež se na
Ukrajinu dostaly z euroasijských stepí.* Viz s. 242.

**Dětská vesta**
20. století
Pokutí, jihozápadní Ukrajina
Šicí stroj, tovární tkaní, bavlněná
vyšívací příze, skleněné korálky, flitry
Délka 28 cm
Muzeum Ivana Hončara, Kyjev

**Svatební plášť manta**
Počátek 20. století
Huculská oblast, západní Ukrajina
Domácí výroba; plstění, ruční šití,
ruční výšivka, kepr, bavlna
Délka 117 cm
Muzeum Ivana Hončara, Kyjev

**Dámská košile**
1876
Podolská oblast, západní Ukrajina
Ruční šití a výšivka
Délka 57 cm
Muzeum Ivana Hončara, Kyjev

# AVANTGARDNÍ
# UMĚNÍ A DIVADLO

## (1890–1939)

Myroslava M. Mudrak

**U**krajinské moderní umění zažilo během pouhého půlstoletí nečekaný a náhlý rozmach, který ve světové vizuální kultuře vytvořil nové frontové linie. Území Ukrajiny se stalo kolébkou rodícího se modernismu, jenž vyrůstal z místních iniciativ. Na úsvitu dvacátého století charakterizovaly ukrajinskou výtvarnou scénu jen působivá postimpresionistická plátna Oleksandra Muraška ovlivněného Francií („ukrajinského Maneta"), krajiny akademicky vzdělaného Mykoly Pymonenka (prvního učitele Kazymyra Malevyče, pozdějšího zakladatele suprematismu) a intimní realistické scény oděských zručných výtvarníků se sympatiemi k populismu. Přestože šlo o slavnou kapitolu v dějinách ukrajinského modernismu, její amorfnost byla rychle zastíněna novou generací, která se přiklonila k radikálnějším přístupům.

Společenský a velmi podnikavý dobrodruh Davyd Burljuk, jenž byl hrdý na svůj kozácký původ, uspořádal v Kyjevě již v roce 1908 výstavu s názvem „Lanka" („Odkaz") , jež se odvážně vymezovala proti lidovému vkusu. V úvodním prohlášení hájil přirozeně autonomní povahu malířství, jež mu údajně umožní vymanit se z područí dlouholetých tradic popisnosti, iluze a narativního obsahu. Burljuk se zasazoval za opuštění veškeré „literárnosti" ve vizuální reprezentaci ve prospěch zaníceného „nového umění", jež se zrodí samo ze sebe jako „sloup ohně vynášející duši". V roce 1909 Burljuk společně s přítelem sochařem Volodymyrem Izdebským uspořádal putovní výstavu francouzských mistrů, kterou zahájili v Oděse. Takzvaný Mezinárodní salon Izdebského pak putoval do Kyjeva, Petrohradu a Rigy a na své cestě podnítil mladou generaci začínajících výtvarníků, aby se na uměleckou tvorbu dívali a přistupovali k ní nově. V roce 1910 následoval druhý salon, který tentokrát představil místní malíře: Vasilije Kandinského z Oděsy, Vladimira Tatlina, bratry Davyda a Volodymyra Burljukovy z Charkovské a Chersonské oblasti a také Oleksandru Ekster z Kyjeva.

V roce 1914 se v Kyjevě konala první samostatná výstava moderního umění „Kilce" („Prsten"), která zviditelnila jedinečný talent dvou představitelů ukrajinské moderny – Oleksandry Ekster a Oleksandra Bohomazova. Ti se snažili zavést modernu do ukrajinské výtvarné kultury, sledovat vývoj na Západě a osvobodit umění od unavených konvencí mimetického zobrazování a zacházet s uměleckým objektem spíše jako s přímým projevem moderny. Výtvarné prvky – linii, barvu, objem, prostor a rytmus, sladěné do kompozice v prostoru a na ploše obrazu – představovaly jazyk umění a jako jediné mohly umožnit zprostředkování zkušenosti v moderním světě. Na konci druhého desetiletí dvacátého století se experimenty s potenciálem vizuálního jazyka objevovaly v centrech umění po celé Ukrajině a vymezovaly avantgardu v Kyjevě, Charkově i Oděse. Ukrajina byla plná ohnisek aktivity převážně samouků, kteří měli s formálním výtvarným vzděláním minimální kontakt, a přesto určovali nové směry pro

strana 162
**Vadym Meller**
**Náčrt pro choreografické**
**představení „Masky", 1919**
*Viz obr. 5, s. 174*

budoucnost. Ukrajinská avantgarda se tak připojila k progresivním výtvarníkům z celé Evropy, vytvořila vlivnou frontovou linii výtvarného umění a jejím hlavním rysem byl úzký vztah s domácím, ne-li přímo národním světonázorem.

Umělecký život na Ukrajině pod vládou carského Ruska se podrobil vnucované homogenní kultuře, jež nebrala ohled na národní původ. Od devadesátých let devatenáctého století tu sice vznikaly soukromé ateliéry a malé výtvarné školy, začínající umělci však často mířili do Paříže nebo Mnichova. Přátelskou podporu nacházeli u Marie Vassilieff a její Académie Russe nebo na školách, jako byla pařížská Académie Ranson. Světově proslulý Oleksandr Archypenko se již v roce 1908 v Paříži prosadil, aktivně vystavoval s předními modernistickými výtvarníky a roku 1912 si otevřel vlastní školu (viz obr. 11, s. 180). Výtvarníci ze západní Ukrajiny, například Mychajlo Bojčuk, studovali v Krakově a pak odcházeli dále na západ do evropských center umění, kde Bojčuk zaujal francouzské kritiky. Vypuknutí první světové války a bolševická revoluce v Rusku tyto snahy přerušily a mnozí umělci se vrátili na Ukrajinu, aby zaujali své místo v suverénním státě.

K jedinečnému charakteru ukrajinské moderny přispělo také mísení etnik na území Ukrajiny. Místní pobočka židovské organizace Kultur Lige (Kulturní liga) v Kyjevě a Oděse se zabývala kubisticko-futuristickými principy a zároveň propagovala jidiš kulturu. Tvůrčí prostor na Ukrajině nalezli výtvarníci Issachar-Ber Rybak, El (Lazar) Lisickij a Mark Epstein (viz s. 166). Ruští futurističtí básníci se začlenili do kruhu charkovského spolku Sojuz semy (Svaz sedmi), v jehož čele stál Boris Kosarev, podnikavý umělec mnoha nadání, od grafiky a malby až po malířství a divadlo. Lascivní umění Davyda Burljuka a spojení s ruskými futuristickými básníky mu vyneslo přezdívku „otec ruského futurismu".

Svébytný ukrajinský futurismus vznikl pod vedením básníka Mychajla Semenka, který smazal hranice mezi slovem a obrazem a vytvořil nový hybridní žánr zvaný „poezomalba". Ve dvacátých letech dvacátého století se jeho myšlenky vyvinuly v koncept panfuturismu, jenž v sobě zahrnoval globální pohled na výtvarné umění, poezii i literaturu včetně nových žánrů, jako byla fotografie, kinematografie a fotomontáž. Semenkovi následovníci, panfuturisté, přijali zásady konstruktivismu jako systém uspořádání kultury, při tvorbě se navzájem myšlenkově inspirovali a vyzdvihovali přitom ukrajinskou průkopnickou scénu: v nové modernistické fázi panfuturismu tak vznikla syntéza hnutí z počátku dvacátého století, jako byl dadaismus, kubismus a futurismus. Svůj postoj panfuturisté vyjádřili v charkovském časopise *Nova Heneracija* (Nová generace), který vycházel v letech 1927–1930.

Před rokem 1917 mohlo být ukrajinské modernistické umění jen srdeční záležitostí a projevem silné touhy vidět ukrajinskou výtvarnou tvorbu, jež není závislá na ruské a vychází z vlastní geografie, historie a tradic. Založení Ukrajinské

akademie umění v roce 1917 u příležitosti vyhlášení ukrajinské nezávislosti roku 1917 předurčilo nové umělecké směřování, jež mělo podporu republikánské vlády. Výuka na Akademii probíhala ve specializovaných ateliérech vedených zkušenými modernisty a podobala se modelu přijatému výmarskou školou Bauhaus v roce 1919. Absolventy bylo množství umělců, kteří s praporem ukrajinského modernismu vyšli do bouřlivých dvacátých let. Významný futuristický malíř Viktor Palmov na Akademii objasňoval své studie založené na Ostwaldově systému barev, architekt Vasyl Kryčevskyj a jeho bratr Fedir vyučovali principy moderní malby, Heorhij Narbut vedl grafické oddělení a Mychajlo Bojčuk založil školu monumentální malby. Přestože ukrajinská nezávislost trvala krátce, moderní výtvarná kultura se prosadila díky angažovanosti avantgardy.

Po změně režimu, jež následovala po bolševickém převratu, převzala Akademie produkční roli a v roce 1924 se přejmenovala na Kyjevský institut umění. Za bolševické vlády v letech 1919–1934 byl hlavním městem sovětské Ukrajiny Charkov. Toto sídlo ukrajinského konstruktivismu je známé jako středisko průmyslové výroby a designu dvacátého století. Rozrůstající se metropole plná továren a výrobních závodů nejen inspirovala inženýrské myšlení Vladimira Tatlina, ale byla také místem, kde se zrodil největší vzor konstruktivistické architektury: Deržprom, známý také jako Průmyslový palác a kandidát na zápis na seznam světového dědictví UNESCO.

V roce 1927, tedy deset let po bolševické revoluci, již ukrajinské výtvarné umění do značné míry objevilo vlastní identitu, mimo jiné díky vládnímu programu „indigenizace" (ukrajinsky „korenizacija" – pozn. red.). Skutečné národní kulturní obrození přinesla politika ukrajinizace uskutečňovaná od roku 1923 až do stalinských čistek ve třicátých letech, jež také odhalila klíčové osobnosti ukrajinské kulturní elity. K těm nejambicióznějším patřil divadelní režisér Les Kurbas. Jeho duchovní dítě, divadlo Berezil, byl kolektiv mladých herců, dramaturgů a výtvarníků, kteří se hlásili k myšlence expresionismu a konstruktivismu a s využitím minimalistických inscenací chtěli tvořit divadlo s maximálním emocionálním účinkem. Výtvarnou stránku divadla představovaly především oceňované kulisy a kostýmy Vadyma Mellera. Tvorbu Berezilu ocenila i pařížská Mezinárodní výstava moderního dekorativního a průmyslového umění v roce 1925. Mellerova maketa pro inscenaci hry *Tajemník odborové organizace* uváděné Berezilem vyhrála zlatou medaili, i když ji nakonec získal Sovětský svaz, a nikoli Ukrajina. Podobné okolnosti se opakovaly na benátském bienále v letech 1928 a 1930, kdy malíři Viktor Palmov, Anatol Petryckyj a Oleksandr Bohomazov zaujali mnohé návštěvníky, kteří netušili, že jde o umělce ukrajinského původu.

Doba později nazvaná ukrajinská avantgarda trvala dvě bouřlivá desetiletí na počátku dvacátého století: období poznamenané světovou válkou, revolucí, rozpadem impéria a především proklamací národní identity, jež skončilo popravami celého kulturního předvoje. Konec rozjásaných dvacátých let ji přerušil stejně náhle, jako se objevila na scéně. Kurbas, Semenko, Bojčuk a jeho spolehliví stoupenci Ivan Padalka a Vasyl Sedljar byli popraveni v roce 1937, kdy řady umělců začaly kosit vlny stalinských čistek a ukrajinskou avantgardu přivedly ke zdrcujícímu konci.

**Mark Epstein**
*Violoncellista*, kubistická kompozice, kolem roku 1919
Tuš a sépiová barva
Akvarel na papíře
41 × 27 cm
Národní umělecké muzeum Ukrajiny, Kyjev

# Grafické umění, průmyslový design a architektura

Příkladem úsporného modernistického designu je díky jemným barevným variacím a architektonicky jednoduchému uspořádání exteriéru administrativní budova Poltavského zemstva (1903–1907) Vasyla Kryčevského. Vnější část cihlové stavby zvýrazňují geometrické motivy inspirované známými vzory místních řezbářských výrobků a selských výšivek. Kryčevského stavba, omítnutá spíše symbolicky než čistě ornamentálně, je ztělesněním spojení národní materiální kultury a utilitárního účelu moderní architektury: fasádu zdobí pás heraldických štítů představujících různé oblasti spravované v budově zemstva. Interiér stavby, dnes Přírodovědného a kulturního muzea, zkrášlují zjednodušené regionální vzory napodobující rostlinné motivy z obílených a malovaných fasád ukrajinských rolnických domů. Ucelený plán moderní budovy, jak si jej Kryčevskyj představoval, není jen ryze dekorativní a představuje takzvaný ukrajinský moderní styl.

Pocit „nároku" na modernitu ve jménu Ukrajiny se objevuje také v návrzích Heorhije Narbuta, jenž byl před ruskou revolucí v roce 1917 ústřední postavou petrohradských uměleckých kruhů, zejména progresivní skupiny Mir Iskusstva (Svět umění). Hlavním cílem tohoto sdružení, jehož členové se prosadili jako knižní ilustrátoři a divadelní výtvarníci, byl čistý estetismus. Jejich kosmopolitní světonázor se snoubil se silnou vlnou sílícího neonacionalismu a představou o mýtickém obrození ruské minulosti. V tomto prostředí se Narbut stal jedním z předních ilustrátorů ruských dětských knih a svým stylem napodoboval mýtotvorný historismus ilustrátora a někdejšího etnografa Ivana Bilibina. Vyhlášení nezávislosti Ukrajiny po pádu carství jej však přimělo k návratu do vlasti, kde se stal ředitelem nově vzniklé Ukrajinské akademie umění v Kyjevě a vedl oddělení grafiky. Jeho zaujetí designem stálo na začátku nového projektu moderní ukrajinské grafiky.

Narbut vytvořil vizuální značku nové, moderní ukrajinské politiky – styl založený na spojení písma církevněslovanských rukopisů z období Kyjevské

1
**Poltavské zemstvo**
(Poltavský oblastní úřad),
1903–1907
Vasyl Kryčevskyj (architekt)
Poltava

„Interiér Poltavského zemstva […] zkrášlují zjednodušené regionální vzory napodobující rostlinné motivy z obílených a malovaných fasád ukrajinských rolnických domů."

Rusi se zjednodušenou paletou barev a architektonickými prvky specifického ukrajinského kozáckého baroka. Prolínáním klasických západních prvků s ukrajinskými motivy na obálkách *Mystectva* (Umění), prvního časopisu v moderním ukrajinském státě věnovaného umění, vnesl do moderní typografie originálního ukrajinského ducha. Obálky měly svěží obraznost, jež sice byla ukrajinská, ale odpovídala novému proletářskému režimu, který byl na Ukrajině zaveden v roce 1919. Narbut vychoval nejen své bezprostřední následovníky, kteří se naučili napodobovat charakteristické znaky jeho stylu vycházejícího z původních rysů kozáckého baroka z doby Mazepy, ale i následující generace grafiků, v jejichž logotypech, vinětách a návrzích obálek knih a časopisů lze rozpoznat rysy Narbutova osobitého stylu.

Stejně novátorský byl charkovský rodák Vasyl Jermylov. Jeho průmyslové reliéfy, návrhy obálek časopisů, veřejně přístupné nástěnné noviny a etikety výrobků předznamenávaly výraznou charkovskou konstruktivistickou estetiku dvacátých let. Vyváženost, jasnost, symetrie, provázané prvky a spojení různých trojrozměrných forem vyjadřovaly utilitární účel těchto produktů: umělecký funkcionalismus odrážel praktičnost dělnické třídy. Jermylov ve své tvorbě reaguje na dobovou proletářskou rétoriku a vyjadřuje průmyslovou atmosféru Charkova coby technologického srdce Ukrajiny s bezpočtem továren a průmyslovou výrobou. Jeho dílo odráží také období ukrajinizace – vládní politiky, která ukrajinské identitě umožnila vstoupit do kulturní sféry, pokud ovšem měla „sovětského" ducha. Jermylov své návrhy, v nichž využíval jen základní barvy ukrajinského lidového umění, harmonicky spojoval s přírodními i umělými dřevěnými prvky. Na jednoduchém reliéfu s kousky dřeva umístěnými v různých úhlech a vrstvách tak, aby vytvářely dojem prostoru, tak vzniká celá řada vzájemných vizuálních a materiálních vztahů – tento konstruktivistický princip organizovaného pohybu pak slouží jako abstraktní šablona pro celou moderní společnost.

2a (*vlevo dole*)
**Heorhij Narbut**
**Autoportrét se svatým Jiřím, 1917**
Papír, tuš, kvaš
38,5 × 27,5 cm
Národní umělecké muzeum
Ukrajiny, Kyjev

2b (*dole uprostřed*)
**Heorhij Narbut**
**Návrh titulní strany pro umělecký
časopis *Mystectvo* (Umění) č. 1,
1920**
Soukromá sbírka, Kyjev

2c (*vpravo dole*)
**Heorhij Narbut**
**Návrh titulní strany časopisu
*Mystectvo* (Umění), č. 3, 1919**
Kvaš a pero na papíře
25 × 18 cm
Charkovské muzeum
výtvarného umění

3
**Vasyl Jermylov**
*Kompozice číslo 3*, 1923
Dřevo, mosaz, lak a barva
82 × 43 × 7,5 cm
Muzeum moderního umění
(MoMA), New York

4 (na následující dvoustraně)
**Deržprom**
(Průmyslový palác), 1925–1928
Sergej Serafimov, Samuel Kravec
a Mark Felger (architekti)
Charkov

    Ztělesněním industriálně-funkcionalistické estetiky je ikona ukrajinského architektonického konstruktivismu, rozlehlá budova Deržpromu (budova Státního průmyslu nazývaná Průmyslový palác). Celistvé, víceúrovňové uspořádání jejího vnějšího a vnitřního prostoru umožňuje pořádání velkých veřejných shromáždění a nabízí i efektivní kancelářské prostory. Deržprom byl postaven v letech 1925–1928 a dodnes je jedním z kvintesenciálních příkladů utopického stavitelství sovětské éry a jedinečnou dochovanou ukázkou administrativní architektury v Sovětském svazu. Jako jednu z nejvyšších železobetonových sovětských staveb své doby jej lze považovat za předchůdce moderních mrakodrapů.

# Experimentální divadlo

Avantgarda oslovovala veřejnost především z jevišť divadel a baletu. V roce 1919 založila kočovná tanečnice a choreografka Bronislava Nižinská (1891–1972) v Kyjevě novátorskou Školu pohybu, která fungovala jako laboratoř pro zkoumání abstraktních hudebních rytmů prostřednictvím tělesného pohybu. Novátorská choreografie, které se Nižinská jako předchůdkyně moderního tance věnovala, se v Kyjevě stala základem dosud nebývalého performativního umění. Coby pedagožka i teoretička spolupracovala s Oleksandrou Ekster, jejíž návrhy kostýmů a scénografie ztělesňovaly myšlenku rytmického a dynamického pohybu v prostoru a jejíž abstraktní výtvarné koncepty přenesla na jeviště. Chráněnci

5
**Vadym Meller**
**Náčrt pro choreografické**
**představení „Masky", 1919**
Pro Školu pohybu Bronislavy
Nižinské, Kyjev, 1919.
60 × 43 cm
Muzeum divadla, hudby
a filmu Ukrajiny, Kyjev

6
**Vadym Meller**
**Scénografie pro**
**Jimmieho Higginse**
Texty: Upton Sinclaire
Umělecké sdružení Berezil
Režie: Les Kurbas, 1923
Muzeum divadla, hudby
a filmu Ukrajiny, Kyjev

a kolegové Oleksandry Ekster Vadym Meller a Anatol Petryckyj model své
mentorky využili k revoluční proměně ukrajinské performativní scény. Petryckyj
působil jako kostýmní výtvarník slavného choreografa Kasjana Golejzovského
(1892–1970), průkopníka moskevské taneční avantgardy dvacátých let dvacátého
století. Jevištní prezentaci Divadla Ivana Franka ve svém rodném Kyjevě přetvořil
odvážnými kostýmy a okázalými kulisami, jež odrážely dědictví středověkého
Kyjeva, zanícenou lásku Petryckého krajanů (většinou rolníků) k přírodě
i tehdejší lascivní lidovou slovesnost plnou pověstí o kozácích – to vše v souladu
s vtipem a humorem soudobých moderních ukrajinských spisovatelů, jako byl
Ostap Vyšňa (1889–1956). Ve svých koncepcích divadelních představení Petryc-
kyj využíval vypjaté barvy, rozmanité textury i všemožné aplikační materiály,
a dosáhl tak vizuálního spojení pudovosti a intelektuálnosti. Dal průchod
grotesknosti a primitivnosti a odhalil i svou zálibu ve strukturované formě, jež
byla charakteristickým rysem ukrajinské avantgardy dvacátých let.

„Avantgarda oslovovala veřejnost především
z jevišť divadel a baletu.“

7
**Anatol Petryckyj**
**Scénografie pro scénu „Na Marsu"**
**pro inscenaci Ostapa Vyšni *Vij***
Divadlo Ivana Franka, Charkov
Režie: H. Jura, 1925
Papír, akvarel, kvaš, aplikace
47 × 68 cm
Muzeum divadla, hudby a filmu
Ukrajiny, Kyjev

# Avantgarda

Vrchol ukrajinské avantgardy představuje tvorba vlivné a nesmírně talentované Oleksandry Ekster, která mezi Kyjevem a uměleckými osami Paříž–Milán a Moskva–Petrohrad sehrála roli posla modernismu mezi západní Evropou, ruskými umělci a svými kolegy na Ukrajině. Podílela se na utváření aktuálních trendů kubismu ve Francii a futurismu v Itálii a na Ukrajině se věnovala experimentům s abstrakcí. Její kolega a chráněnec Oleksandr Bohomazov do Kyjeva přivezl nefalšovaný futurismus, který překonával i to, čeho dosáhli italští futuristé. V letech 1911–1916 se Bohomazov soustředil na Kyjev jako na uspěchané centrum, jehož pohybové a dynamické principy se pokusil vyjádřit vizuálně. Jeho energické ztvárnění městského života, ať už v malbě či kresbách, svědčilo o jasně formulovaném cíli moderního výtvarníka: dvourozměrný obraz sloužil jako

8
**Oleksandra Ekster**
***Kompozice**, 1916*
Karton, kvaš, akvarel, tuš
55 × 33,5 cm
Muzeum divadla, hudby
a filmu Ukrajiny, Kyjev

jakýsi odrazový můstek pro znázornění dynamických rytmů a pohybu typických pro energii moderního života. V tomto duchu Bohomazov v roce 1914 dopsal pojednání s názvem *Umění malby a živly*, v němž vyložil hlavní zásady „nového umění". Pro jeho teoretický postoj je zásadní představa, že proud pohybu mohou na ploše obrazu znázorňovat jen diagonály a kontradiagonály. Patrné je to na jeho zobrazení ohně v kopcovitém kyjevském terénu, kde žádná čára není rovnoběžná s rámem obrazu (obr. 9). Podle Bohomazova je totiž energii nutné zachytit tak, jako by vycházela z uměleckého díla, a každý tah by měl znázorňovat její směr. Zatímco v italském futurismu siločáry pronikají až za okraje obrazů, u Bohomazova končí v soustředěných vrcholech malířské hmoty v prostoru obrazu. Rytmické obrysy zachovávají iluzi kontinuity pohybu a slouží jako kontrapunkt k lineární diagonálnosti uvnitř díla. Tímto svébytným principem výtvarného ztvárnění se řídil Bohomazov do doby, než se stal pedagogem na Kyjevském institutu umění. Během krátkého učitelského působení na Kavkaze pak objevil smysl pro spektrální barevnost, kterou se začal zabývat ke konci kariéry ve druhé polovině dvacátých let.

S tvorbou Viktora Palmova (obr. 10) je spojen také pojem „spektralismus". Palmov do Kyjeva přijel v roce 1925 na pozvání Kyjevského institutu umění poté, co více než deset let strávil ve společnosti futuristických básníků, a po futuristické cestě po Japonsku, Sibiři a Dálném východě, kam se vydal se svým krajanem Davydem Burljukem. V ranějších dílech reagoval na syntetický proud označovaný jako kubofuturismus, jenž se většinou soustředil na geometrickou

9
**Oleksandr Bohomazov**
*Oheň*, 1916
Tužka na papíře
27 × 31,7 cm
Národní umělecké
muzeum Ukrajiny, Kyjev

10

**Viktor Palmov**
*Rybář*, 1928
Olej na plátně
67 × 46 cm
Národní umělecké
muzeum Ukrajiny, Kyjev

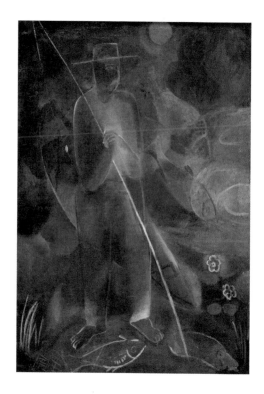

formu, ovšem prodchnutou dynamickým pohybem. Po jmenování profesorem malby Palmov přispěl svou přímou zkušeností a znalostí futurismu, zaměřil se však na studium barvy. Stejně jako Bohomazov teoretizoval o „barevném psaní", jež podrobně popsal v panfuturistickém časopise *Nova Heneracija* (Nová generace).

Bohomazovův vrstevník, kyjevský rodák a budoucí sochař světové moderny Oleksandr Archypenko, měl první samostatnou výstavu na rodné Ukrajině v roce 1906. Roku 1910 už vystavoval v Paříži, kde se stal aktivním členem skupiny La Section d'Or (Zlatý řez), a v roce 1920 samostatně vystavoval na benátském bienále. Spojením reliéfu a malby s využitím různých materiálů včetně štuku a polychromovaného dřeva vytvořil hybridní styl, tzv. „špachtlování (sculpto-painting)", který zkoumal plasticitu kubismu. V zahraničí také založil svou první školu v Berlíně a pedagogické činnosti se věnoval i po emigraci do Spojených států v roce 1923, kde se stal ústřední postavou americké avantgardy.

Odvážné, experimentální kroky těchto výtvarníků ostře kontrastují s charkovským futurismem, jehož stoupenci svým životním stylem i světonázorem představovali mnohem bohémštější stránku ukrajinského modernismu. V centru avantgardního dění na východě byla Marija Synjakova (1890–1984), jejíž smyslné obrazy ztělesňují životní styl skupiny umělců, kteří se na začátku první světové války scházeli během léta v domě její rodiny u vsi Krasna

Poljana. Zelené, idylické prostředí venkova výtvarníky i básníky, jejichž cílem nebylo ani tak zpochybňovat konvence, jako spíše čerpat z bohatého rezervoáru tvůrčí energie, přímo vyzývalo k nespoutané tvorbě. Modernistická vize Synjakové, podněcovaná především úrodným prostředím ukrajinského venkova a přirozeným zájmem o vzdálené a pradávné kultury, spojovala euforii a dekorativnost v kompozicích, jež připomínají intimní výjevy perských miniatur. Smyslnost autorčiny obrazotvornosti je stejně osvobozující, jako byly pomíjivé utopické přísliby moderny. Její jemné práce na papíře podobné kouzelným kobercům létajícím v čase zachycují transcendentní i katastrofická témata. Díla, ve kterých Synjakova odhaluje nečekanost moderní války, jež svévolně narušila její organický, smyslový vztah s poklidným okolím Charkova (obr. 12), silně rezonují i dnes v souvislosti s útokem na Ukrajinu v roce 2022.

# Bojčukismus

Tzv. „bojčukisté" navazovali na myšlenky výtvarníka Mychajla Bojčuka (1882–1937), který propagoval byzantskou estetiku souznící s východním křesťanským dědictvím Ukrajiny. Bojčuk svůj jedinečný přístup k modernímu malířství, který soudobá kritika, například Guillaume Apollinaire, označovala za „školu byzantského obrození", představil na začátku dvacátého století v Paříži, kolébce modernistického hnutí. Příslušníci „školy" vystavovali spolu s emigranty na pařížském Podzimním salonu (1909) a v Salonu nezávislých (1910). Bojčuk, který získal vzdělání ve Vídni, Krakově, Mnichově a poté v Paříži, byl zcestovalý a dobře znal umění italských protorenesančních umělců, zejména Giotta. Válka jeho výtvarné ambice dočasně pozastavila a po návratu na Ukrajinu se věnoval především restaurování ikon. Po rozpadu carského Ruska a vyhlášení nezávislosti Ukrajiny se přestěhoval do Kyjeva, kde se v roce 1917 stal jedním z pedagogů nově vzniklé Ukrajinské akademie umění. Vedl na ní ateliér monumentální malby, jenž se věnoval starým technikám temperové a freskové malby a zároveň je zasazoval do moderního a současného kontextu. Inspirován loajalitou a nadáním svých studentů Bojčuk deskovou malbu opustil a rozhodl se pro nástěnnou malbu. Zorganizoval skupinu žáků, k nimž patřil mimo jiné malíř Vasyl Sedljar i reprezentativní počet výtvarnic – kromě Bojčukovy manželky Sofie Nalepynské--Bojčuk mezi nimi byly například Marija Kotljarevska, Antonina Ivanova a nejznámější z nich, Oksana Pavlenko. Skupina společně realizovala zakázky na vládní monumentální a agitační výtvarné projekty v duchu tendenčních propagandistických témat nového bolševického režimu. Kolektivní díla bojčukistů byla k vidění po celé Ukrajině okupované Sovětským svazem, a to včetně Oděsy a bolševiky zřízeného hlavního města sovětské Ukrajiny, Charkova.

V roce 1921 bojčukisté vyzdobili Charkov v rámci příprav na nadcházející Pátý celoruský sjezd sovětů. Tato událost představovala významný zlom v dějinách moderního ukrajinského umění, protože spojila dva hlavní, nesourodé proudy modernistické tvorby: bojčukismus a konstruktivismus. Spolupráce Bojčuka a Vasyla Jermylova na slavnostní výzdobě charkovské Liebknechtovy ulice nakonec vedla ke vzniku Asociace revolučního umění Ukrajiny, známé pod zkratkou ARMU. Tento svaz během aktivního období sovětizace ve dvacátých letech dvacátého století sloučil různé přístupy k soudobému ukrajinskému umění do jednotné modernistické pozice.

13
**Mychajlo Bojčuk**
*Pláč Jaroslavnin*, skica k nástěnné malbě, počátek 20. století
Karton, tempera, plátkové zlato
40 × 34 cm
Lvovská národní galerie umění Boryse Voznyckého

„[Bojčuk] propagoval byzantskou estetiku souznící s východním křesťanským dědictvím Ukrajiny."

„Skupina [bojčukistů] společně realizovala zakázky na vládní monumentální a agitační výtvarné projekty v duchu tendenčních propagandistických témat nového bolševického režimu."

14
**Vasyl Sedljar**
*Ve škole liknepu,* **1929**
Tempera na papíře
31 × 48,5 cm
Národní umělecké
muzeum Ukrajiny, Kyjev

15
**Ivan Padalka**
*Fotograf na vesnici,* **1927**
Tempera na papíře
33,5 × 45 cm
Národní umělecké
muzeum Ukrajiny, Kyjev

Modernistický keramický průmysl oživil Bojčukův chráněnec Ivan Padalka (1894–1937), který založil výrobní dílny a ateliéry v Myrhorodu u Poltavy a v Mežyhirji u Kyjeva. Někteří bojčukisté se snažili získat ukrajinské rolnické obyvatelstvo pro nově zaváděnou sovětskou ideologii, která seznamovala vesničany s gramotností (jak ukazuje Sedljar; obr. 14) nebo fotografováním, jež mělo dokumentovat pokrok (jak to zachycuje Padalkův obraz; obr. 15). Ti ovšem byli nakonec obviněni ze zrady kvůli podpoře národní identity ve specifickém stylu a formě vycházející ze starých náboženských vzorů v umění. Padalka si vysloužil posměšnou nálepku „buržoazního nacionalisty" a spolu s dalšími kolegy byl během stalinských čistek popraven. Většina nástěnných maleb a výtvarných děl bojčukistů byla zničena. Z jejich díla se dochovalo jen několik ukázek, a to převážně maleb temperou na papíře. Jako ukrajinské avantgardní hnutí dnes bojčukismus známe především z fotografických dokumentů.

Bohatě zdobené hliněné, různě hluboké mísy reprezentují nejstarší formu
ukrajinské keramiky. Měly celou řadu funkcí a obvykle se umisťovaly na zvláštní
polici jako ozdoby tradičních interiérů. Při slavnostních jídlech se pokládaly na stůl
a během významných svátků jako Vánoce a Velikonoce se nosily do kostela.

Prosté, neokázale zdobené misky různých velikostí byly používány
v každodenním životě při vaření, mytí a konzumaci jídla. Do lidové keramiky
se postupně promítly městské vlivy a kromě malovaných mís začali hrnčíři
vyrábět také ploché dekorativní talíře. Níže uvedené ukázky pocházejí
z Muzea Ivana Hončara v Kyjevě. Viz s. 242.

# UMĚNÍ
# SOVĚTSKÉ ÉRY

*(30.–80. léta 20. století)*

Oleksandr Solovjov

U krajinské výtvarné umění sovětské éry – jež bylo nejen součástí sovětského umění, ale i jeho vlajkovou lodí – skončilo s rozpadem Sovětského svazu. Jeho dějiny jsou kontroverzní a složité a teprve se píší. Stále zbývá doplnit mnoho bílých míst a mezer, a pochopit všechny nuance a objektivně je popsat je těžké. Ukrajinské umění bylo během tohoto období většinou v izolaci, a tedy pokřivené – nevyvíjelo se běžným způsobem a od dění za hranicemi Sovětského svazu, tedy země, která věřila v budování socialistické společnosti, bylo odděleno. Přísná ideologická kontrola šla ruku v ruce se státní podporou „správného" umění, jež přinášela řadu privilegií a výhod pro jeho tvůrce. Jakmile nastal čas tuto linii zrevidovat (a ona pokračuje dodnes), vynořilo se ze zapomnění mnoho jmen a v reakci na to byla řada bývalých „hrdinů" sesazena z piedestalu.

Dvacátá léta dvacátého století byla na Ukrajině obdobím živého uměleckého a kulturního experimentování. Rozmanitost uměleckých směrů, škol a spolků přinesla velkou konkurenci a vedla ke značné tvůrčí produkci. Některé spolky se staly dědici realistické tradice peredvižníků, jako Sdružení umělců rudé Ukrajiny. Převažovaly však ty, které hledaly nové formy, například Asociace revolučního umění Ukrajiny (ARMU), Svaz současných umělců Ukrajiny (OSMU) nebo Říjen (Žovteň). Většina jejich členů se upřímně chtěla podílet na velkolepých proměnách společnosti, které sliboval sovětské vedení, a své umění využít k budování nového způsobu života a nového člověka. Podle nich měl potenciál jiný druh výtvarné tradice než kritický realismus devatenáctého století. Obrátili se tedy k avantgardě, která se ve světě umění prosadila již o deset let dříve – i ona totiž usilovala o radikálně nové uspořádání světa. Avantgardní hnutí vývoj těchto ukrajinských uměleckých kolektivů významně ovlivnilo. Výtvarníci jako Kostjantyn Jeleva a Vasyl Sedljar používali radikální jazyk malby až do první poloviny třicátých let. Dokládají to i díla představená na velké výstavě s názvem „Specfond" („Tajný fond"), jež se konala v roce 2015 v Národním uměleckém muzeu Ukrajiny. Tajný fond muzea vznikal v letech 1937 až 1939, a přestože byla všechna v něm obsažená díla určena ke zničení, dochovala se do dnešní doby.

Podle některých skupin bylo monumentální umění lepší než běžné malování obrazů u stojanu. Bojčukisté při tvorbě originálních nástěnných maleb vycházeli například z italského quattrocenta, francouzského kubismu, byzantského umění i ukrajinského lidového umění. Poslední záblesky avantgardní tvorby byly patrné v Charkově, tehdy hlavním městě Ukrajiny, kde Vasyl Jermylov aktivně pracoval na vlastní vizi konstruktivismu. Právě tam se rozvíjela také konstruktivistická scénografie Oleksandra Chvostenka-Chvostova, Vadyma Mellera a Anatola Petryckého.

Poté co Ústřední výbor Komunistické strany Sovětského svazu ve třicátých letech rozhodl „restrukturalizovat" literární a umělecké organizace, byla různá

*strana 188*
**Pavlo Holubjatnykov**
***Traktory*, 1928** (detail)
*Viz obr. 4, str. 199*

sdružení zrušena a pozornost byla věnována umělcům, kteří plně podporovali ideologickou a politickou platformu komunistické strany. Rozmanitost umění nahradilo jednotné hnutí socialistického realismu – umění, jež údajně pravdivě odráželo sovětský život a jeho revoluční vývoj. V praxi se však do popředí zájmu nedostala revoluční, nýbrž archaická linie propagovaná výtvarníky ze Sdružení umělců rudé Ukrajiny. Za ztělesnění tohoto stylu lze v mnoha ohledech považovat líbivě, ale povrchně realistický obraz *Stavitelé DněproGESu* (1937) Karpa Trochymenka. Nakonec museli výtvarníci tohoto období od jakéhokoli náznaku realistické dokumentace upustit. Živé scény malované přímo na místě nahradily inscenované, klasicky zpracované výpravné výjevy s modely v ateliéru. V běžném životě i v umění pak navíc začal tzv. Velký teror (hromadné stalinské čistky – pozn. red.).

Mistři školy monumentalismu v čele s Bojčukem byli koncem třicátých let popraveni. Jedinečné hnutí ukrajinských monumentalistů se zvýšeným přístupem k umělecké formě a rozvinutými metodami vzdělávání budoucích výtvarníků tak přestalo existovat. Z dějin ukrajinského umění byla jejich jména vymazána na téměř třicet let. Podle oficiální propagandy totiž symbolizovala nechvalně proslulé ideologie „formalismu" a „militantně buržoazního nacionalismu". Třicátá léta přivedla ke krachu spoustu zajímavých směrů a ukončila kariéru mnoha velmi talentovaných výtvarníků, odsunutých na okraj tehdejšího uměleckého světa. Mnozí se však přizpůsobili okolnostem. Z mimořádně nadaného grafika Vasyla Kasijana, který měl svého času díky členství ve sdružení ARMU blízko k bojčukistům, se rychle a nenávratně stal socialistický realista a řadu let zastával významné funkce v ukrajinské sovětské grafice – do značné míry přitom přišel o svůj originální styl. Během druhé světové války, stejně jako během ruské občanské války (1918–1922), patřily k nejžádanějším jednoduché žánry a druhy umění, jež dokázaly bleskurychle reagovat na aktuální události a v masách měly vzbuzovat vzdor i radost z vítězství: plakáty, grafické skici, propagandistické i vlastenecké obrazy, které vznikaly v rámci zavedeného kánonu.

Hlavní rysy socialistického realismu se projevily v období po druhé světové válce, kdy na scénu vstoupila nová generace výtvarníků, z nichž mnozí absolvovali Národní akademii výtvarného umění a architektury v Kyjevě. K nápaditým tématům s estetickým vyjádřením patřily každodennost a poučení (jak je vidět na obrazech Serhije Hryhorjeva), obřadná pompéznost (jak ilustrují obrazy Mychajla Chmelka) i plakátovost (jak je patrné na obrazech Viktora Puzyrkova a Teťjany Jablonské – konkrétně na jejím díle *Chléb*, 1949). Vysokými obrazovými kvalitami vyniká obraz *Mladý Taras Ševčenko u výtvarníka Karla Brjullova* (1947) Heorhije Melichova. Na přelomu čtyřicátých a padesátých let se ukrajinští malíři

aktivně účastnili všesvazových výstav umění a mnozí získali i státní (tehdy Stalinovy) ceny. Takový úspěch měl však i svou stinnou stránku. Ti, kteří se vyznamenali už svými prvními díly, ustrnuli ve snaze zopakovat úspěch, a stejně vyšlapanou cestou se snažili jít i jejich žáci. V padesátých letech se vytvořil falešný stereotyp ukrajinských výtvarníků jako mistrů výjimečně velkých pláten znázorňujících převážně významná sovětská témata. Vymknout se těmto přísným konvencím se podařilo snad jedině Teťjaně Jablonské, kterou ovšem ukrajinský folklor uchvátil až koncem padesátých a zejména v šedesátých letech, kdy o ní kritici začali mluvit jako o „nové Jablonské".

Po Stalinově smrti kanonické období socialistického realismu skončilo a začalo chruščovovské tání (období uvolnění represí a cenzury). S ním přišlo i relativní rozšíření formálních přístupů a zrod nových fenoménů, například tvorba tzv. „šedesátníků". Jejich oficiální styl byl charakteristický svou drsností, neoficiální byl zcela jasně nekonvenční.

Další sovětský vůdce Brežněv zahájil období označované za éru stagnace. Výtvarníci, kteří chtěli vystavovat a prodávat svá díla státu, museli tvořit nespočet vizuálních „dokumentů" o rádoby vítězstvích socialismu a radostném pracovním životě sovětských občanů. Celý Sovětský svaz včetně Ukrajiny byl posetý bloky pomníků. Na velkých výstavách se kánonů socialistického realismu zřejmě nejvíce drželi ukrajinští výtvarníci s výjimkou několika malířů lvovské a užhorodské výtvarné školy, kde nebyly ještě zcela vymýceny evropské malířské tradice.

V roce 1976 bylo přijato stranické usnesení „O práci s tvůrčí mládeží" a účastníci ostře sledovaných výstav mladých výtvarníků si mohli dovolit o trochu více než výstavy „dospělých", jež se konaly v monumentálních sálech, často bývaly spojeny s oslavami milníků sovětských dějin a prezentovaly objednaná ohromná plátna umělců protežovaných úřady, kam bylo velice obtížné proniknout. Na výstavách mladých umělců byly dovoleny jisté odchylky od uznávané normativní estetiky. Objevil se dokonce nový pojem: „povolené umění". Právě na těchto výstavách se objevily velkoformátové obrazy Sergeje Gety i fotorealistické malby Serhije Bazyljeva (odrážející tehdejší hlavní trend západního umění, který se v Sovětském svazu již nezakazoval). Na této scéně se rovněž prezentovaly první barevné malby Tiberija Silvašiho, který je označoval za chronorealismus, a během Gorbačovovy perestrojky o sobě hlasitě dávalo znát hnutí Nová vlna, díky němuž se celá generace ukrajinských výtvarníků připojila ke světovému postmodernismu. Bylo to také poslední dějství v historii ukrajinského umění sovětské éry. V prosinci 1991 byla v Bělověžském pralese (na chatě v dnešním Bělorusku) podepsána dohoda, jež znamenala rozpad Sovětského svazu, a od té doby se Ukrajina rozvíjí už jako nezávislý stát.

**Obřadní síně kyjevského krematoria**
Avraam Mileckyj (architekt)
1968–1981
Kyjev

# Žánrová malba

Od počátku třicátých let dvacátého století ukrajinské umění zaznamenalo znatelný úpadek tvůrčího hledání spojeného s avantgardním hnutím. S čím dál silnější jednotnou sovětskou státností rostla poptávka po státním, normalizovaném umění, jež sloužilo rodící se totalitní ideologii. Zlomovým okamžikem bylo vytvoření, vyhlášení a rozšíření jednotného směru pro celé sovětské výtvarné umění – socialistického realismu. Ze všech možných uměleckých tradic byl povolen pouze jeden jediný styl: realistické umění typu peredvižniků z druhé poloviny devatenáctého století. Byla udána jasná hierarchie žánrů a témat. Nejnižší žánry všemožně odsuzovala stranická kritika a ve třicátých letech komunistická strana zvlášť důrazně brojila proti krajinomalbě. Nejvýše se cenila výtvarná díla, která velebila rodící se kult osobnosti Stalina, a žánry a témata oslavující hrdinskou národní (především revoluční) minulost i hrdinskou sovětskou současnost (zejména pracovní výkony). Všichni se ovšem nemohli stát členy této elitní kasty. Ne že by k ní všichni výtvarníci chtěli patřit, tento morální kompromis s sebou totiž nesl ústupky v oblasti umění. Těm, kteří se diktátu hrdinského umění nechtěli podřídit, tehdy přišla na pomoc jedna světlá výjimka: ve vznikající hierarchii se objevil druhořadý žánr – umění každodennosti, jakýsi sovětský biedermeier vycházející z tradice peredvižniků. Byl nejen vítán, ale dostal se i do popředí výtvarné scény. Právě v něm mnozí umělci viděli alternativu ke „stalinskému empíru" a první prostor pro vyjádření tichého nesouhlasu s oficiálním narativem. Byl úzce spjat s lidovým životem a všedností a jeho neokázalá forma nenarušovala hlavní cíl: vyprávění, vylíčení příběhu a skutečnou autentičnost. V padesátých letech se však dočkal glorifikace i tento žánr a pak již následoval jeho prudký úpadek a degenerace do téměř anekdotické okrajovosti.

Tyto politické a umělecké souvislosti jsou nutné k pochopení vzniku a významu žánrového obrazu *Horníkova láska* (1935), který namaloval Fedir Kryčevskyj po návratu z cesty na Donbas. Původně chtěl namalovat celý cyklus s názvem *Mládež Donbasu*, ale *Horníkova láska* zůstala ze série první a jedinou malbou. Kryčevskyj byl významnou postavou ukrajinského výtvarného umění. Malovat začal ještě před sovětskou érou a vrcholu jeho tvorba dosáhla ve dvacátých letech – svůj triptych *Život* (pravděpodobně z roku 1927) s patrnými vlivy secese ještě téhož roku vystavoval na benátském bienále. Kryčevského malby se vyznačují velkolepou kompozicí, rozmáchlými tahy štětce a zobrazováním národního charakteru. Zůstal sice věrný realistické malbě, ale díky vášni pro evropské umělecké školy, směry a styly jako secese (oblíbil si zejména Rakušana Gustava Klimta a Švýcara Ferdinanda Hodlera), symbolismus, impresionismus a postimpresionismus do ní uměl vnášet zdobné prvky. Ve stejném roce jako *Horníkovu lásku* namaloval obraz *Wrangelovi přemožitelé*. Tento rozměrný obraz

1
**Fedir Kryčevskyj**
*Horníkova láska*, **1935**
183 × 175 cm
Národní umělecké
muzeum Ukrajiny, Kyjev

měl historický, revoluční námět: Kryčevskyj využil principy klasických ikon
s vyobrazením Krista-přímluvce), ovšem s novými náměty – hrdiny ruské
občanské války, která po bolševické revoluci v roce 1917 zachvátila také Ukra-
jinu. Ve třicátých letech však již Kryčevskyj dával přednost žánrové malbě,
například u obrazu *Veselé dojičky* (1937). Přestože zmíněná malba a *Horníkova
láska* byly věnovány práci, postrádají přemíru opěvování a falešnosti typickou
pro díla, jež se ztotožňovala s oficiálním sovětským narativem. Do popředí
vystupuje plastičnost a barevnost, tedy typické rysy žánru (domácí scény)
a lidského citu. Kryčevského velkoformátové obrazy připomínají spíše insce-
nace – což je typické pro jeho tvorbu ve všech fázích jeho kariéry. Neokázalá
barevnost *Horníkovy lásky* podtrhuje lyričnost díla. Motiv dostaveníčka byl
vcelku rozšířený již před Kryčevským a jeho ustálenou ikonografii nalezneme
u ukrajinských i zahraničních výtvarníků: u ukrajinského peredvižnika Myko-
ly Pymonenka, italského představitele neoakademismu Eugena de Blaase
a jeho malby *Pavouk a moucha* (1889) i francouzských malířů Augusta Renoira

a samozřejmě Julese Bastien-Lepagea, jehož obraz *Láska na vsi* (1882) má ke Kryčevského scéně nejblíže.

Žákyní Kryčevského byla Teťjana Jablonska, která se stejně jako on věnovala žánrové malbě. Její výtvarné pokusy přerušila druhá světová válka a k práci se mohla vrátit až po návratu do Kyjeva v roce 1944. Zvláštní místo v její tvorbě zaujímá žánrový obraz *Před startem* (1947; obr. 2), jenž jasně svědčí o zálibě mladé výtvarnice v impresionismu. Jablonska si za něj vysloužila nemilosrdnou kritiku ve stalinistických novinách *Kultura a život*: formalismus a zejména impresionismus se považovaly za projevy buržoazní kultury a v socialistickém umění neměly místo. Vliv impresionismu byl patrný nejen ve spontánnosti díla, ale i v přístupu Jablonské k zobrazení tak rozsáhlé, vícerozměrné scény – zejména v téměř bezděčném ořezu a spontánní roztříštěnosti kompozice. Dílo je pozoruhodné tím, že stejně jako působivá malba *Chléb* vytvořená o dva roky později vyjadřuje optimismus poválečného období. Jeho náladu charakterizuje lehkost, radost a vřelost; plenérová autenticita a rozvíjení narativu jsou však druhotné ve srovnání s tím nejdůležitějším – schopností autorky vystihnout vlastní pocity a smysluplně je zobrazit. Tento typ inspirativního, impulzivního malířského stylu je úzce spjat se strukturální konzistencí celku. Kompozice využívá princip dynamických diagonálních linií, a vyvolává tak dojem pohybu. Tento přístup – spojení dvou vizuálních rovin, detailního znázornění popředí a vzdáleného pozadí s vysokou linií horizontu – dodává malbě hloubku. Kontrast dále umocňují výtvarné kvality jednotlivých rovin: jemný kontrast

2
**Teťjana Jablonska**
*Před startem*, 1947
Olej na plátně
126 × 210 cm
Národní umělecké
muzeum Ukrajiny, Kyjev

3
**Serhij Hryhorjev**
*Přijetí do komsomolu*, 1949
Olej na plátně
Původní verze

teplých a studených odstínů i prolínání příbuzných barev a živých světelných odlesků.

Dalším žákem Kryčevského byl Serhij Hryhorjev, uznávaný mistr žánrové malby. K jeho obvyklým motivům patří schůze, kolektivní diskuse a sovětské rituály, které lze vidět na obrazech *Přijetí do komsomolu* (1949), *Diskuse nad čtyřkou z chování* (1950) a *Rodičovská schůzka* (1960). Při tvorbě *Přijetí do komsomolu* se Hryhorjev stejně jako Jablonska inspiroval přirozeným dojmem. Ve své době šlo o příkladné dílo, jež v sobě spojovalo vitalitu žánru a požadavky na socialistický realismus. Zobrazuje typický rituál přijetí členky do komsomolu, politické organizace pro komunistickou výchovu mládeže. Zdání formálnosti a pevně daného postupu Hryhorjev oslabuje větším důrazem na emoce a psychologii a společné prožívání všech postav umocňuje opakovaným použitím červené barvy, kterou se umělci podařilo využít pro čistě formální účely. Nezbytnou podmínkou ztvárnění podobné scény však tehdy byla přítomnost Stalina, v tomto případě v podobě busty. Ne náhodou se obraz původně jmenoval *Přijetí do komsomolu. Stalinský kmen.* Po ocenění Stalinovým řádem II. stupně jej získalo Kyjevské státní muzeum ukrajinského umění. V padesátých letech, po odhalení pravé podstaty kultu osobnosti, malíř Stalinovu bustu přemaloval. Dnes je obraz uložen v depozitáři Národního uměleckého muzea Ukrajiny a jeho původní verze je k vidění jen na reprodukcích.

# Poetika barvy a světla

Ze všech žánrů ukrajinského výtvarného umění byla v sovětské éře nejvýznamnější malba. Právě touto formou, zejména prostřednictvím narativních a tematických obrazů, se nejotevřeněji prezentovala sovětská dogmata. V malbě se také velmi zřetelně projevovalo experimentování s avantgardními myšlenkami, počínaje prvním desetiletím existence Sovětského svazu a po dlouhé přestávce také mezi nekonvenčními umělci v šedesátých letech. V období mezi těmito dvěma časovými úseky zkoumala povahu této výtvarné formy celá řada malířů, kteří hledali způsob plastického výrazu pomocí barev a světla (přestože nebyli tak radikální jako například abstrakcionisté z konce padesátých a sedmdesátých let).

Pavlo Holubjatnykov (rusky Pavel Golubjatnikov – pozn. red.) byl důsledným zastáncem principů svého učitele a přítele Kuzmy Petrova-Vodkina. Jejich spřízněnost se projevovala ve využití sférické perspektivy, složitých úhlů a kombinací různých pohledů, tváří připomínajících ikony, koncentrované barevnosti a oporou v renesančním odkazu. Malba navíc byla pro oba výtvarníky nejen instrumentálním prostorem pro formální zkoumání, ale způsobem myšlení – filozofií. Holubjatnykov však nakonec vyvinul technicky složitý optický systém, který nazval „malování světlem". Ve svém díle pak směřoval k duchovnu, jež chápal jako jediný základ tvorby. Tyto charakteristiky jsou patrné v malbách z jeho kyjevského období, tedy z let 1925 až 1930. Vyučoval tehdy na Kyjevském uměleckém institutu spolu s Kazymyrem Malevyčem a Vladimirem Tatlinem a byl členem Asociace revolučního umění Ukrajiny a později skupiny OSMU, jež se především snažila vyjádřit svou tvorbou pohyb. Holubjatnykov se také zúčastnil benátského bienále v roce 1928. K nejlepším dílům z jeho kyjevského období patří malby *Kyjevanka* (1925–1926), *Hlava ženy* (1926) a *Děti v zahradě* (1928), v nichž lze snadno rozpoznat ikonografické schéma vyobrazení Nejsvětější Trojice.

V tomto období se v Holubjatnykovově tvorbě objevují i nová témata, která vyjadřují zásah reality sovětské industrializace do patriarchálních struktur života, konkrétně v obrazech *Letadlo nad vesnicí* (1927) a *Traktory* (1928). Tyto malby se vyznačují větší mírou deformace: je zvýrazněn posun rovin, náklon předmětů a do popředí čím dál více vystupuje symbolický význam barev. Díky všem těmto prvkům vznikly obrazy plné dramatu a napětí, a každodenní výjevy se tak stávají nadčasovými. Velmi častým motivem na ukrajinských obrazech byl traktor, přezdívaný jako „ocelový kůň" – symbol měnící se doby a nového způsobu života. Na malbě *Traktory* lze ve ztvárnění postav připomínajících ikony vnímat napětí mezi moderností a archaickými styly. Konvoj traktorů začíná někde v dálce, míří k divákovi, tvoří osu kompozice, a protíná tak různé prostory a perspektivy. Modrá barva stromů i traktorů dodává obrazu pocit nereálnosti a fantazie.

4
**Pavlo Holubjatnykov**
*Traktory*, **1928**
Olej na plátně
140 × 125 cm
Národní umělecké
muzeum Ukrajiny, Kyjev

5
**Mykola Hluščenko**
*Odpočinek*, **1973**
Olej na plátně
100 × 80 cm
Soukromá sbírka

6
Jurij Jehorov
*Brzy odplouváme*, 1972
147 × 143 cm
Muzeum výtvarného
umění v Oděse

Dalším vynikajícím koloristou byl Mykola Hluščenko. Všechny jeho obrazy stojí na barvě a plátna naplňuje pohyb i zdobnost. Přesto jeho dílu nelze navzdory improvizačnímu charakteru malby upřít přirozenost: je mu vlastní nenucené uspořádání, vyváženost tónových vztahů a bohatá hra textur. Hluščenko ve své tvorbě vycházel z evropských malířských tradic. V první polovině dvacátých let studoval výtvarné umění v Berlíně a v roce 1925 se přestěhoval do Paříže, kde dlouho působil pod vlivem francouzských impresionistů. Malířský styl výtvarníků jako Manet, Monet, Renoir a Bonnard, plný barevnosti a světelnosti, je patrný v mnoha Hluščenkových obrazech té doby. Přesto ho nelze označit za pouhého imitátora: jeho dílu je vlastní vnitřní poetika a měl i svůj styl využívající odvážné, jakoby chaotické tahy všemi směry. Jeho oblíbeným žánrem byla krajina, často však zobrazoval také ženské akty, a to nejen v malbě (viz například jeho uznávané album erotických litografií z roku 1928). V jeho cyklu aktů zaujmou mistrovské tahy štětcem a barevná dokonalost. V sedmdesátých letech, tedy ke konci života, Hluščenko namaloval obrazy *Odpočinek* (obr. 5, s. 199), *Akt na pohovce* a *Umělec a modelka*. *Autoportrét s aktem*. Akt se v těchto i dalších dílech celého cyklu mísí s prvky jiných žánrů, jako je zátiší, autoportrét, scéna v interiéru, které jejich obraznost umocňují a obohacují.

Oděský výtvarník Jurij Jehorov (často také Jegorov – pozn. red.) namaloval v sedmdesátých letech několik obrazů pod jedním názvem *Brzy odplouváme*. Mořské motivy v jeho tvorbě nejsou náhodné, patří k rysům jeho mytologického světa. Moře na jeho malbách je vždy živé, zpěněné a strukturované, se zakřivenou, jiskřící linií horizontu prostoupenou slunečním světlem. Pro Jehorova je světlo prvotním základem viditelného světa, jeho prototypem na metafyzické úrovni. Jehorovovy obrazy jsou obvykle podsvícené, a je tak na nich jasně patrné oddělení světla a stínu, zároveň ale umožňují přechod škály tónů od nejtmavšího k nejsvětlejšímu s mnoha barevnými mezistupni. Motiv odplouvání, pozvání k cestě do neznáma je nepochybně romantický. Bílý čtverec námořní vlajky s modrým lemem, který dívka drží, znamená, že loď do 24 hodin zvedne kotvy a vyplue. Všechny prvky obrazu – dívka i barva jejího okolí (moře a oblohy) – mají jasný symbolický výklad. Konkrétně moře symbolizuje věčný pohyb, neustálou proměnlivost a tajemství, zatímco obloha je ztělesněním vesmíru a božství.

Hledání pohybu vidíme i na obraze *Sklenice* (1985), jehož autorem je další „kouzelník světla a barev" Anatolij Lymarjev. Malba doslova svítí zevnitř ven: zářivá žlutooranžová barevnost s kontrastními odstíny zelené a nápadnými odlesky červené, rozostřené siluety a tmavá sedící postava v popředí, to vše přispívá k působivé atmosféře živého obrazu. Díky těmto detailům se prostý výjev stává vznešeným a tajemným vyprávěním.

7
**Anatolij Lymarjev**
*Sklenice*, **1985**
Olej na plátně
97 × 107 cm
S laskavým svolením
výtvarníkovy rodiny

# Nonkonformní výtvarníci

S nástupem chruščovovského tání v druhé polovině padesátých let se politický a kulturní útlak v Sovětském svazu poněkud uvolnil. Výtvarné umění bylo v celém SSSR téměř třicet let v naprosté izolaci. Mnozí jeho představitelé byli navíc vystaveni nejen ideologické „převýchově", ale také popravováni. Odstranit všechny nepohodlné umělce se přesto nepodařilo, a někteří tvořili i nadále – i kdyby jen proto, aby svá díla schovávali do šuplíku – a riskovali tím kariéru i život. Jiní tvořili v souladu s celosvětovými výtvarnými trendy, i když za nimi zaostávali a jejich tvorba byla jiného ražení, protože inspiraci mohli hledat jen sami v sobě. To vše se dělo samozřejmě skrytě a sporadicky a spíše na individuální než kolektivní rovině. Zárodek alternativních vizí k převládající ideologii socialistického realismu přesto zapustil kořeny. V roce 1957 přijela na Světový festival mládeže a studentstva v Moskvě s rozsáhlým výstavním programem řada zahraničních delegací. O dva roky později se v Moskvě konala výstava Picassových děl. Nebyla to samozřejmě opravdová svoboda, tento závan čerstvého vzduchu však ovlivnil celkové směřování uměleckého vývoje. V té době se v celém Sovětském svazu začalo rodit hned několik nových uměleckých směrů. Jedním z nich byl nonkonformismus, který nabral na síle na přelomu padesátých a šedesátých let. V kulturním povědomí se obecně spojoval s disentem.

K nejvlivnějším nonkonformním výtvarníkům na Ukrajině tehdy patřil Anatolij Sumar, povoláním architekt, který experimentoval v oblasti malířství. Vytvořil asi padesát děl, v nichž se prolínaly reálné a abstraktní motivy. Všechna jeho experimentální díla vznikla během krátkého šestiletého období. Po obvinění z formalismu malovat přestal. Na Sumarovi (stejně jako na několika dalších nonkonformních umělcích) je pozoruhodné to, do jaké míry zvládl jiné umělecké formy, a jeho neohrožený přístup k experimentování s různými médii. Další významný představitel tohoto hnutí, Hryhorij Havrylenko, byl vynikající ilustrátor knih, zejména Dantových děl. Jeho druhou vášní, tehdy skrytou před zraky široké veřejnosti, byla abstraktní malba – někdy expresivní, jindy minimalistická s geometrickými barevnými skvrnami. Havrylenko začal s abstraktními formami experimentovat koncem šedesátých let a svým malbám říkal „nepředmětná" díla. V pozdějších cyklech, k nimž patří i *Kompozice* (1982), se snažil o harmonii prostých forem, o atmosféru naprosté jednoty. Nezachycuje přitom statický stav; jednotlivé prvky se zdánlivě vznášejí k horní vrstvě plochy obrazu, jako by měly vlastní skrytou dynamiku. V *Kompozici* Havrylenko věnoval zvláštní pozornost vztahu mezi světlem a barvou. Jasné, rozptýlené barvy v sobě skrývají jakousi světelnou sílu a transparentnost obrazu těmto prvkům propůjčuje lehkost a vzdušnost.

Valerije Lamacha, dalšího výtvarníka tohoto období, stát oficiálně řadil k tvůrcům monumentálního umění a plakátů, koncem padesátých let však začal tvořit také abstraktní malby v expresionistickém stylu. Koncem dalšího desetiletí

8
**Hryhorij Havrylenko**
*Kompozice*, 1981
Akvarel na papíře
38,5 × 28,1 cm
Sbírka Eduarda Dymšyce

se pustil do svého mistrovského díla nazvaného *Knihy schémat*, v němž pojednal estetiku z pohledu výtvarného umělce a především myslitele a básníka (obr. 9, s. 204). Lamach stihl napsat celkem pět knih, dílo však kvůli jeho smrti v roce 1978 zůstalo nedokončené. K filozofii dospěl díky intuici a rozjímání. Inspirovala jej myšlenka, že vše, co existuje, je dynamicky propojeno, a přišel s ucelenou představou světa, kterou pak převáděl do vizuální podoby. Dnes by byl nazýván konceptuálním umělcem: ne náhodou byl v roce 2017 fragment jeho *Knih* součástí německé výstavy současného umění „documenta 14".

Výše zmínění umělci působili v Kyjevě, hnutí nonkonformistů se však dařilo i jinde. Pozornost si zaslouží i řada výtvarníků ze Lvova, zejména proto, že šlo o specifický případ: Lvov byl k Sovětskému svazu připojen až v roce 1939. Několik

203                                                             30.–80. LÉTA 20. STOLETÍ — ❖

9
**Valerij Lamach**
**ze čtvrté** *Knihy*
*schémat* **1969–1979**
(Album č. 2, třetí složka)
Kvaš na papíře
25 × 19 cm
Soukromá sbírka

tamních umělců získalo západoevropské vzdělání, například Margit Selska a její manžel Roman Selskyj, kolem nichž se vytvořila skupinka studentů otevřených modernistickým tradicím i soudobým trendům. Patřil k nim Karlo Zvirynskyj, který na sebe upozornil abstraktními i reliéfními malbami, v nichž využíval jako netradiční médium kov. Ve druhé polovině padesátých let se pustil do hledání takzvané „čisté formy", zbavené jakýchkoli patrných asociací, a dospěl tak k abstrakci, rozšíření technických a figurativních postupů a překonání plochosti malířského obrazu. V cyklech *Vertikály* a *Reliéfy* (včetně malby *Cín*; obr. 10) dosáhl díky intenzivnímu využití textury různých materiálů – dřeva, cínu, sádry, krajky, papíru a lepidla – jedinečného pojetí „hmatové abstrakce".

Další malíř ze Lvova, Petro Markovyč, se zamýšlel nad rozvojem světového výtvarného umění dvacátého století a vytvořil si na ně vlastní (poněkud naivní) náhled. Jeho díla z šedesátých let obsahovala prvky dadaismu a surrealismu. V jeho asamblážích byl každý objekt obdařen pamětí a měl vlastní poetický smysl. Součástí cyklu „knoflíkových obrazů", které Markovyč vytvořil v letech 1966 až 1968, je například *Madona* (obr. 11, s. 206). V asamblážích jako *Černé květiny* (1967) knoflíky využil jako trojrozměrné prvky pro opětovné vyvolání dojmů z krematoria.

Vynikající nonkonformní výtvarníci působili rovněž v Užhorodu, například Pavlo Bedzyr, Ferenc Seman a Jelyzaveta Kremnycka. Feodosij Humenjuk, rodák z Vinnycké oblasti, působil od šedesátých do osmdesátých let s přestávkami v Dněpropetrovsku (dnešní Dnipro) a Petrohradě. V malířské tvorbě navázal na byzantinizující směr oživený školou Mychajla Bojčuka. Zaměřil se na barvu, kompozici a texturu plátna a vytvořil styl spojující archaický ukrajinský symbolismus s moderním obrazovým jazykem, za což byl pronásledován vládnoucí mocí.

Zvláštní pozornost si zaslouží i Oděsa – jediné město na Ukrajině a jedno z mála v Sovětském svazu, kde od šedesátých do osmdesátých let působili nejen jednotliví dobří a nezávislí výtvarníci, ale zformovala se tam celá alternativní umělecká scéna, včetně výtvarných škol, skupin, celých generací umělců i nejrůznějších jednotlivců. Oděsa prošla několika vlnami nonkonformismu. Jeho počátky lze vysledovat již v padesátých letech, počínaje Teofilem Fraiermanem, který žil řadu let v Paříži a v očích mnoha oděských výtvarníků byl živoucím příkladem evropské malířské kultury i morálním vzorem politicky neangažovaného umělce. Další významnou osobností byl Oleh Sokolov, který tvořil drobná „komorní" díla (velmi malých rozměrů a vystavovaná především v bytech výtvarníků) a abstraktní kompozice, v nichž se zabýval myšlenkou syntézy malby a hudby.

10
**Karlo Zvirynskyj**
*Cín*, **1959**
Překližka, cín, barva
46,5 × 72 cm
Soukromá sbírka

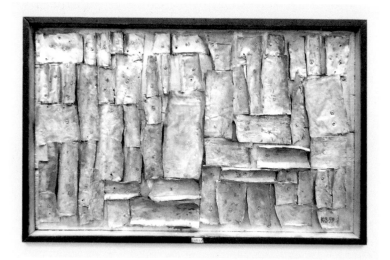

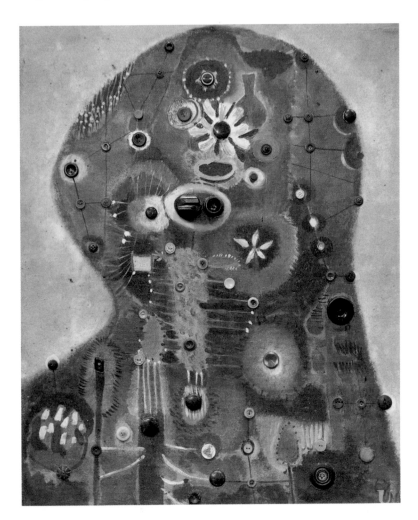

11
**Petro Markovyč**
*Madona*, 1967
Olej na kartonu, koláž
75 × 61 cm
Lvovská národní galerie
umění Boryse Voznyckého

V šedesátých letech se výtvarné umění posunulo více k malbě: Volodymyr Naumec, Ljudmyla Jastreb, Valentyn Chrušč, Vladimir Strelnikov, Oleksandr Anufrijev, Valerij Basanec, Viktor Marynjuk a další hledali výraznost formy v malbě na stojanu a tvořili převážně díla ne větší než metr na šířku. Tento formát vyžadoval odpovídající výstavní styl: „bytovou výstavu", kdy obrazy zcela pokrývaly stěny. Strelnikovův *Rybářský dům* (1970) je typickým dílem z posledních let jeho působení v Odése, kdy často zobrazoval pohledy na tamní krajinu. Po své emigraci do Mnichova se figurativní malby vzdal a začal se věnovat abstrakci. Počátky této změny jsou patrné již ve zmíněném, drobném, ovšem velmi expresivním díle a v minimálním využití barev a formy. Bílý dům na břehu moře se díky malířskému štětci stává básnickou metaforou, jež naznačuje, že za výklenkovými okny se odehrává tajuplný život.

Právě v Oděse se poprvé v Sovětském svazu konala interaktivní „partyzánská" výstava ve veřejném městském prostoru. Valentyn Chrušč a Stanislav Syčov svá díla vyvěsili na plotě oděského parku na náměstí Pale-Rojal v létě 1964, tedy dávno před dramatickými událostmi, k nimž došlo při (nepovolené) tzv. „buldozerové výstavě" v ulicích Moskvy roku 1974 (jež byla rozehnána vodními děly a buldozery). Oděská výstava trvala několik hodin, načež ji za pomoci komsomolských aktivistů strhla policie.

Druhá vlna oděského nonkonformismu byla konceptuální a objevila se na přelomu sedmdesátých a osmdesátých let. Jako první se na jejím rozvoji významně podíleli umělci Leonid Vojcechov, Serhij Anufrijev, Jurij Leiderman, Ihor Čackin a skupina Percy (Ljudmyla Skrypkina a Oleh Petrenko). Důležitým rysem této vlny byl znatelný vliv na vizuální podoby oděské dikce, místního dialektu. Tento typ umění tvořili umělci se sklony ke spontánní, lehké a efemérní tvorbě, samotná díla měla téměř druhotný význam. Oděský konceptualismus nevyjadřoval přímou společenskou či politickou kritiku, nesouhlas tamních tvůrců se systémem byl spíše tiše naznačován. Jejich tvorba se vyhýbala otevřenému zesměšňování sovětských úřadů, což je před všemvidoucím okem KGB rozhodně nechránilo.

12
**Vladimir Strelnikov**
*Rybářský dům*, **1970**
Olej na plátně
75 × 90 cm
Sbírka Anatolije Dymčuka

# Umění fotografie

V poválečném období se fotografování stalo velmi rozšířenou zábavou po celém Sovětském svazu, Ukrajinu nevyjímaje. Profesionální reportéři fotografovali příběhy zpravidla v mimořádně optimistickém světle. Jejich snímky měly zachycovat přikrášlenou podobu života a propagovat stranickou ideologii prosycenou socialistickými dogmaty. Převážně vyjadřovaly myšlenku kolektivismu. Oblíbený koníček s sebou rovněž přinesl velkou vlnu amatérských fotografů, kteří se sdružovali v klubech a kroužcích, kde se mohli zdokonalovat. Existovaly však i skupiny profesionálních fotografů, které brzy ideologické poslání jejich milované práce nevyhnutelně tížilo. Koncem padesátých let začala vznikat různá subkulturní hnutí, v nichž měla fotografie zvěčňovat nejrůznější události. V Charkově například vznikla skupina Modrý kůň, undergroundové sdružení mládeže hlásající bohémský tvůrčí život, sexuální svobodu a nudismus. Její členové však byli brzy pozatýkáni a dostali různě vysoké tresty vězení. Ne náhodou se Charkov stal na sovětské Ukrajině epicentrem zájmu o zcela jiný typ fotografie, který nesouvisel ani tak s jejími dokumentárními možnostmi, jako spíše s estetickými kvalitami a možností kriticky přehodnocovat realitu. Šlo o průmyslově a intelektuálně rozvinuté město s mnoha továrnami, inženýry a studenty. V prvních sovětských letech bylo hlavním městem Ukrajiny a domovem řady avantgardních umělců, zejména konstruktivistů. V polovině šedesátých let, na konci chruščovovského tání, po němž následovalo těžké bezčasí brežněvovské stagnace, začal o dané době točit film Borys Mychajlov (známý jako Boris Michajlov – pozn. red.), inženýr z jednoho charkovského závodu. Práce na filmu ho podnítila k fotografování. Svými soubory fotografií jako *Rudý cyklus* (1968–1975), *Nedomyšlená teze* (1984–1985) a cyklem *Luriki* (1971–1985) odhalil existenciální nervozitu doby a jejích hrdinů a věrně zachytil realitu. Tito hrdinové a daná realita se značně lišili od umělých, přehnaně sentimentálních fotografických obrazů, které šířil stát a které převládaly. Mychajlov o tom ve svých zápiscích prostě, ale výstižně říká: „Žili jsme v mezidobí, kdy hrdinství a patos byly lži. Tehdejší dobu a její historický pocit charakterizovala deheroizace s ironickým a skeptickým postojem k životu a ideologii. V tomto způsobu reflexe skutečnosti přitom docházelo k umělecké nivelizaci obrazu dějin.“

„Snímky měly zachycovat přikrášlenou podobu života a propagovat stranickou ideologii prosycenou socialistickými dogmaty.“

13
**Jevhenij Pavlov**
**Z *Archivního cyklu*, 1974–1988**
Želatinový stříbrný tisk
S laskavým svolením autora

V roce 1971 v Charkově vznikla skupina Vremja (Čas), jejímiž členy byli Borys Mychajlov, Jurij Rupin, Jevhenij Pavlov, Oleh Malovanyj, Anatolij Makijenko, Oleksandr Suprun, Hennadij Tubaljev a Oleksandr Sytnyčenko. Všichni si sice zachovávali uměleckou nezávislost, celá skupina však měla společnou myšlenku, kterou formulovala jako „teorii dopadu". Cílem bylo diváka ohromit a zastavit, probudit v něm kritický pohled a aktivovat obranné mechanismy bolesti a šoku jako po úderu pěstí. Uplatňování této teorie v praxi radikálně změnilo vnímání fotografie coby uměleckého díla a legitimizovalo její rovnoprávnost v systému uměleckých forem tradičně uznávaných jako vysoké. Skupina působila skrytě, za neustálých omezení a cenzurních zákazů. V podstatě byla pololegální: její jediná výstava v Charkově se konala v kulturním centru Domu vědců až v roce 1983 a byla okamžitě uzavřena.

Fotograf často vědomě provokoval, zahajoval spontánní vystoupení, která vybízela účastníky k improvizaci. Příkladem takového přístupu byly inscenované fotografie v cyklu *Housle* (1972) Jevhenije Pavlova. Šlo o revoluční a lyrickou produkci s účastí příslušníků hnutí hippies a byl to jeden z mála experimentů s nahým mužským tělem v tehdejším SSSR. Zobrazování nahoty bylo v sovětské fotografii tabu, pro členy skupiny Vremja se však fotografování aktů stalo normou, která svou odvahou současníky šokovala. Dalším cyklem v tomto duchu je *Sauna* (1972) Jurije Rupina. Tvorba fotografických cyklů v době, kdy ještě převládal formát jednoho snímku, skupině Vremja umožňovala rozšířit dialog s diváky a přitom byla inovací uskupení. Po cyklu *Housle* Jevhenij Pavlov nafotografoval další přelomový soubor *Láska* (1976) a v roce 1988 dokončil *Archivní cyklus*, započatý v polovině šedesátých let: šlo o expresivní černobílé fotografie dokumentující život v sovětském Charkově (obr. 13, s. 209). Přestože byla v popředí fotografického zájmu skupiny sociální problematika, rozpoznat hranici dokumentárních a inscenovaných snímků bylo vždy těžké. Autoři často dokázali vytvořit iluzi skryté a spontánní inscenace i u momentek. Toto stírání hranic mělo své charakteristické rysy. Kromě jiných fotografických technik – a v širším měřítku i těch, jež vzešly z charkovské fotografické školy – skupina využívala koláž a montáž. Tyto techniky měly původ již v sovětské avantgardní tradici fotomontáže.

Dalším postupem, který získal na oblibě, byla „rehabilitace kýče", patrná především v ručně kolorovaných fotografiích s jejich anilinovou barevnou paletou inspirovanou anonymními lidovými fotografiemi. Experimentovalo se také se složitými fotografickými technikami, například s ekvidenzitou, Sabatierovým efektem, dvojitou expozicí a retuší. Borys Mychajlov například za pomoci dvojité expozice vytvořil cyklus *Včerejší krajíc*. Pustil se do něj v době, kdy estetická kvalita fotografie nebyla ještě tak důležitá. Fascinovala ho přitom hra s možnostmi formy: jeden snímek přenášel na druhý a vytvářel nečekané prostorové a strukturální efekty, posuny, zkreslení a rozptyly někdy až surrealistické povahy. Vznikly tak série rozmanitých uměleckých snímků s paradoxními metaforami a sémantickými podtexty; v cyklu *Včerejší krajíc* je to zjevné v překrývajících se rovinách a nepatřičném obrazu ucha na ulici.

14
**Borys Mychajlov
z cyklu *Včerejší krajíc*,
přelom 60. a 70. let**
Kolorovaný tisk
S laskavým svolením autora

# Nový brutalismus

Různá období ukrajinské architektury, jež charakterizovala sovětskou éru, mají různou hodnotu, význam a estetickou kvalitu. Po konstruktivistické architektuře dvacátých let, která v obecných dějinách architektury zanechala výraznou stopu, přišlo období stalinistické architektury – přímý důsledek totalitního režimu a období, kdy nevznikly žádné pozoruhodné památky. Následovala obliba architektury, jíž dominoval utilitarismus, strohost, a uniformní sídlištní architektura. A konečně, v šedesátých letech, kdy se země více otevřela, začala se ukrajinská architektura soustředit na nové západní trendy. Ty se tehdy na Ukrajině kopírovaly stejně jako jinde v Evropě. Po mnoha letech technologické zaostalosti a nadvlády „stalinské říše" se sovětští architekti obrátili ke klasické řádové architektuře, pompéznosti a zdobnosti. Jedním z hlavních trendů byl tzv. nový brutalismus rozvíjený švýcarsko-francouzským architektem Le Corbusierem, jehož technické zásady pro využití železobetonu uvedl do praxe německý architekt Friedrich Tamms. Po druhé světové válce se nový brutalismus nejdůsledněji rozvíjel a využíval ve Velké Británii, a nakonec se začal prosazovat i v mnoha dalších zemích světa.

Tento architektonický fenomén byl zvlášť zajímavý v Kyjevě v období od šedesátých do osmdesátých let, kdy byly stylové rysy nového brutalismu v architektuře jasně patrné. Důraz byl kladen na hmotu obrovských tvarů, odvahu a složitost architektonických rozhodnutí při zachování funkčnosti, absenci nadbytečné vyzdoby, na strohost hlavního materiálu, kterým byl železobeton ve své přirozené, brutální podobě, a na jednotný přístup zdůrazňující městský charakter budov. Novou brutalistickou architekturu reprezentují nejrůznější budovy jako koleje Národní technické univerzity (1973–1984) a Národní univerzity Tarase Ševčenka v Kyjevě (1972–1980), Hluškovův kybernetický ústav (1973–1977), Žitný trh (1980), Dům nábytku (1971–1984) s vydutou zakřivenou střechou a konceptem pravděpodobně vypůjčeným od populárního japonského architekta Kenzóa Tangeho, Národní palác umění Ukrajina (1965–1970) a Národní knihovna Ukrajiny V. I. Vernadského (1975–1989; obr. 15, s. 213). Ke klíčovým architektům té doby patřili Mychajlo Budilovskyj, Natalija Čmutina a Serhij Myrhorodskyj.

„V šedesátých letech, kdy se země více otevřela,
začala se ukrajinská architektura soustředit
na nové západní trendy."

„Interiér knihovny s velkolepými lustry, nábytkem a kamenickou výzdobou ztělesňoval téměř všechny charakteristické rysy sovětského pojetí krásy, k němuž shodou okolností patřila stejná estetika jako u nového brutalismu, a důraz na nadživotní velikost."

Národní knihovna Ukrajiny sice organicky zapadá do městského prostředí, její sedmadvacetipodlažní hlavní blok, v němž se nacházejí knižní depozitáře, však do jinak statické a monotónní stavby vnáší prvek rytmické dynamiky. Výzdobu knižních depozitářů předurčila čistě funkční nutnost – husté mřížoví na hlavním bloku omezuje venkovní světlo, což je pro skladování knih ideální. Interiér knihovny s velkolepými lustry, nábytkem a kamenickou výzdobou ztělesňoval téměř všechny charakteristické rysy sovětského pojetí krásy, k němuž shodou okolností patřila stejná estetika jako u nového brutalismu, a důraz na nadživotní velikost. Ne náhodou tyto interiéry posloužily jako místo natáčení řady scén ve slavném americko-britském televizním seriálu *Černobyl*.

Jedním z nejvěhlasnějších představitelů nového brutalismu v Kyjevě byl Avraam Mileckyj, který navrhl hotel Saljut (1982–1984) a Obřadní síně kyjevského krematoria (1968–1981) připomínající rozkvetlé okvětní listy lotosu, buddhistického symbolu znovuzrození (viz s. 192). V této rituální stavbě se Mileckému podařilo vyzdvihnout vlastnosti surového betonu, zejména jeho plasticitu, která nový brutalismus odlišovala od dřívějšího modernismu. Z výjimečných kyjevských staveb v tomto stylu je třeba zmínit také Ukrajinský ústav vědecko-technických znalostí a informací (1965–1971) architektů Floriana Jurjeva a Lva Novykova: jeho hlavní výrazová architektonická složka připomíná létající talíř. Vzhled a kulovitý tvar stavby inspirovaly myšlenky kosmismu, sovětského filozofického hnutí, jež bylo v SSSR velmi populární v šedesátých letech. Stavba byla koncipována jako barevné hudební divadlo (instrumentální představení, při němž se barevné signály generované hudebními vibracemi převádějí na světlo) s jedinečnou akustikou. Prostor, ve kterém se prolínala hudba, divadlo, architektura a monumentální malba, také zjevně vyjadřoval další zásadní myšlenku – syntézu různých druhů umění.

15
**Národní knihovna Ukrajiny V. I. Vernadského**
Vadym Hopkalo, Vadym Hrečyna, a Valerij Peskovskyj (architekti)
1975–1989
Kyjev

*Letní večer*
20. století
Střední podněpří, Poltavská oblast
Olej na překližce
55 × 62,5 cm
Muzeum Ivana Hončara, Kyjev

*Kozák Mamaj*
Nedatováno
Národní umělecké muzeum
Ukrajiny, Kyjev

**_Lidé jdou do kostela_**
20. století
Olej na plátně
59,3 × 80,2 cm
Muzeum Ivana Hončara, Kyjev

**_Mladí lidé u řeky_**
20. století
Severovýchodní Ukrajina
Olej na překližce
45,5 × 53 cm
Muzeum Ivana Hončara, Kyjev

*Jedním z nejčastějších námětů ukrajinských lidových maleb byl obraz kozáka*
*Mamaje (lidového hrdiny), který na obrazech seděl uprostřed stepi a v ruce*
*držel tradiční ukrajinský hudební nástroj, banduru. Viz s. 242.*

# SOUČASNÉ UMĚNÍ

*(konec 80. let 20. století po současnost)*

**Viktorija Burlaka**

Za výchozí bod současného ukrajinského umění lze logicky považovat rok 1991, kdy se rozpadl Sovětský svaz a Ukrajina získala nezávislost. Obrození výtvarného jazyka, jež odpovídalo euforickému duchu perestrojky a glasnosti (sovětských ekonomických a politických reforem v osmdesátých letech) a odklonu od zastaralých kánonů socialistického realismu k moderním celosvětovým trendům, začalo již dříve, koncem osmdesátých let. Tehdy se na celosvazových výstavách v Moskvě a celorepublikových výstavách v Kyjevě hrdě ohlásila tzv. nová ukrajinská vlna. Toto stylově soudržné a esteticky působivé kolektivní hnutí přežilo zhruba do roku 1993 a po něm následovalo hnutí *raskartinivanie* (ukrajinsky *rozkartynennja* – pozn. red.) neboli „odobrazení".

Nová ukrajinská vlna bývá ze všech národních verzí postmoderního neoexpresionismu nejčastěji přirovnávána k italské transavantgardě, tedy k „tajuplné malbě" v dialogu s tradicí kontinuálního vývoje malířství. Podle současníků se sice italská transavantgarda na Ukrajinu dostala jen v knihách a časopisech, u výtvarníků však našla odezvu, protože malba se těšila velké úctě. Ukrajinská obdoba tohoto hnutí se nicméně soustředila na radikální revidování významu, formy a základních hodnot.

Návštěvníky výstavy v Moskevské maněži v roce 1987 tak ohromilo dílo *Smutek Kleopatry* Kyjevanů Arsena Savadova a Heorhije Senčenka, jež se stalo manifestem nového umění a základem jedinečného systému. Navzdory heroickým tahům štětce a významové prázdnotě konceptuálně deklarovalo konec starého malířského diskurzu. V podstatě tak vyjádřilo smutek výtvarníků – mohli sice odkazovat na celou řadu klasiků, od Velázqueze po Picassa, malířství už však nikdy nebude *skutečné*, bylo to jen simulakrum stojící na troskách někdejší velikosti. Tento láskyplný, a přece ironický přístup převzali také mladší kolegové Savadova a Senčenka a inspiroval rozšíření nového malířského stylu v Kyjevě, Oděse i ve Lvově. K nejvýznačnějším výtvarníkům této generace patřili Oleksandr Hnylyckyj, Oleh Holosij, Oleksandr Rojtburd, Vasyl Caholov, Andrij Sahajdakovskyj, Valerija Trubina, Pavlo Kerestej, Maksym Mamsikov, Dmytro Kavsan, Serhij Panyč a Vasyl Rjabčenko.

Nová vlna se stala kolektivním hnutím díky squatterům: domy v centru Kyjeva, které čekaly na rekonstrukci, si zabrali jako dílny, kde si vyměňovali nápady a pořádali hlučné večírky. Nejznámější squat se nacházel na ulici Pařížské komuny (Vulycja Paryzkoji Komuny, nyní ulice Mychajlivska, pozn. red.), a proto se výtvarníkům nové vlny často říkalo „umělci Parkomuny"; stejný název nesla i výstava, kterou připravil Oleksandr Solovjov.

Stylově a teritoriálně samostatná byla skupina Hranice silné vůle národního post-eklekticismu. Tvořili ji mimo jiné Oleh Tistol, Kostjantyn Reunov, Oleksandr Charčenko, Maryna Skuharjeva a Jana Bystrova. Jejich verze nové

*strana 216*
**Oleh Tistol**
*Sjednocení,* **1988** (detail)
*Viz obr. 2, s. 224*

vlny se na přelomu desetiletí dále rozvíjela ve squatu v moskevském domě Fur-mannyj Pereulok, kde popularizovali ukrajinskou obdobu pop-artu. Vzhledem k tomu, že se neoexpresionismus na Ukrajině rozvinul v podstatě o deset let později než jinde ve světě, poměrně rychle také skončil. Rok 1992 byl posledním, kdy ukrajinští výtvarníci tvořili ve svém uzavřeném světě: korporace Spielmo-tor tehdy několik umělců Pařížské komuny pozvala na rezidenční pobyt do Mnichova. V Německu se pak mohli zařadit do západního kontextu současného umění, jak se tentýž rok prezentovalo například na „documenta" (každoroční výstavě současného umění), kde se nevystavovaly téměř žádné obrazy. Zájem o nová média byl zřejmý již na poslední výstavě hnutí s názvem „PostAnesthesia" v mnichovské Městské galerii na Lothringerstrasse.

Devadesátá léta byla obdobím radikálních, nekonvenčních fotografických projektů a videoprojektů i postupné institucionalizace ukrajinského umění, jež se snažilo začlenit do kontextu nesourodé výtvarné projevy. Tato centralizovaná struktura – kolektiv soudobých výtvarníků a kurátorů, aktivní projekty, výstavy a zavádění nových médií – byla spojena především s Centry současného umění v Kyjevě a Oděse financovanými Nadací otevřené společnosti George Sorose. V roce 1993 přijela na Ukrajinu kurátorka Marta Kuzma, jež se stala první ře-ditelkou Sorosova centra v Kyjevě. Její vlastní průkopnické projekty vycházely z důkladného studia ukrajinské situace, a to jak v současnosti, tak v historic-kých souvislostech. Tento přístup se stal společným rysem výtvarného umění devadesátých let: pravdivě a někdy i bolestně reflektovat drsnou sociální realitu i proměny postsovětské společnosti. Přestože tehdy fungovalo jinak než v rámci dnes známého sociálně kritického přístupu, vznikal nový umělecký algoritmus aktivní, angažované, hravé i mytologizované interakce se společností.

Umělci se proměnili v průzkumníky nebezpečných okrajových oblastí, od dolů po útulky pro bezdomovce. Funkci sociálních performancí na daném místě si nárokovaly také kurátorské projekty. Jako příklad lze uvést performanci *Alchymická kapitulace* (1994) Marty Kuzmy, koncipovanou v době vrcholícího napětí ohledně rozdělení (dříve společné) černomořské flotily mezi Ukrajinu a Rusko. Konala se na *Slavutyči*, vlajkové lodi flotily. Se sociálním prostředím přímo souvisel i *Krymský projekt* (1998). Ten se stal reflexí dějinného „přeroz-dělení světa" Stalinem, Churchillem a Rooseveltem, jež bylo výsledkem jaltské konference v Livadijském paláci roku 1945, tedy na konci druhé světové války. V roce 1997 se stal ředitelem Centra současného umění v Kyjevě Jerzy Onuch. Ten uspořádal řadu významných výstav včetně *Ukrainian Brand* (2001), jež byla pokusem o zformování nové národní identity bez stereotypů. Od konce devadesátých let se však finanční prostředky Sorosova centra začaly tenčit, což podle očekávání ovlivnilo rytmus uměleckého života.

Přelom tisíciletí a první roky po roce 2000 se staly obdobím bilancování a prvních pokusů o systematizaci a muzealizaci soudobého ukrajinského umění, jež vzniklo v posledních patnácti letech. Nejambicióznější projekty byly realizovány s podporou Nadace Viktora Pinčuka. Již před založením soukromého PinchukArtCentre v roce 2006 (jež se od té doby stalo nejautoritativnější a nejefektivnější institucí z hlediska podpory rozvíjejícího se ukrajinského umění i jeho začlenění do světového kontextu) se konaly dvě výstavy: „První sbírka" (2003) a „Sbohem, armádo!" (2004). Obě měly být oslavou otevření muzea současného umění (přestože pojetí PinchukArtCentre jako muzea později ustoupilo myšlence výtvarného centra) a byly věnovány nejvýznamnějším dějinným fenoménům počínaje koncem osmdesátých let dvacátého století.

Nové generace výtvarníků se obvykle objevovaly v období historických převratných změn a nových vln liberalizačního hnutí a vzestupu národního sebeuvědomění na Ukrajině. Generaci devadesátých let spojilo očekávání brzkého rozpadu Sovětského svazu a výtvarné scéně téma dominovalo až do roku 2005, kdy se podle všeho téma vyčerpalo a potřebovalo již nové myšlenky, tvůrce a koncepce. V roce 2004 však přišla oranžová revoluce, která vynesla další nové pokolení s novým způsobem uvažování a novými tvůrčími strategiemi:

jeho umění již nepřinášelo estetickou reflexi ani mytologickou intervenci, ale kritické přehodnocení dění ve společnosti a společenskou interakci. Generace po oranžové revoluci je generací politického umění. Hlavním článkem v řetězci událostí, jež ji vynesly do popředí, byly rezidence v Centru současného umění na Národní univerzitě Kyjevsko-mohyljanská akademie (NaUKMA), které Jerzy Onuch během revoluce nabídl skupině mladých výtvarníků. Centrum se tehdy stalo tvůrčí laboratoří a tamní dění vyvrcholilo spontánní výstavou skupiny R.E.P. (Revolučního experimentálního prostoru). V roce 2005 se v Charkově objevila podobná skupina mladých výtvarníků, tzv. SOSka – tvořili ji Mykola Ridnyj, Bella Lohačova, Serhij Popov a Hanna Kryvencova, kteří jako uměleckou formu přímé interakce se společností propagovali tzv. „akcionismus". Skupiny R.E.P. a SOSka měly poměrně široký záběr – podílely se například na předvolební kampani na kyjevském Náměstí nezávislosti pro fiktivní politickou stranu kandidující do parlamentu (viz obr. 8, s. 232) i na vzdělávacích aktivitách v podobě současného umění pro široké publikum (od lidí, kteří se shromažďovali v ulicích města, až po vesničany v odlehlých koutech země). Jedním z klíčových děl skupiny R.E.P. je piktografický *Slovník vlastenectví* – další pokus o definování současné ukrajinské identity, která by odpovídala situaci z hlediska psychologie, ideologie, kultury a dějin.

Skupina R.E.P. (jejímiž stálými členy byli Nikita Kadan, Žanna Kadyrova, Lesja Chomenko, Ksenija Hnylycka, Volodymyr Kuzněcov a Lada Nakonečna) předznamenala směřování tvorby mladých ukrajinských výtvarníků. Atmosféru tohoto desetiletí vystihovaly také potíže, jimž čelila – vzhledem k neprobádaným dějinným traumatům, nepochopení skutečných dějinných mechanismů (aktuálními tématy se stala politika dějin a jejich reinterpretace) a nejasným vyhlídkám do budoucna (zvláštnímu bezčasí mezi minulostí a budoucností, kdy je velmi problematická už možnost současnosti se vším všudy). Z této stagnace mohla společnost vytrhnout jedině další vlna občanské neposlušnosti. Revoluce důstojnosti (tzv. Euromajdan) v roce 2014, anexe Krymu Ruskem, válka na Donbase – všechny tyto politické události značně ovlivnily i výtvarné umění, které trpí válkou stejně jako celá společnost a vnímá *Požár reality* (jak se jmenovala instalace Romana Mychajlova). Z tohoto „požáru" přirozeně vzešla další generace tvůrců sociálně-kritického umění, jež se soustředila na subtilnější, bližší zkoumání celé řady problémů a interakce prostřednictvím určité melancholie a dystopie. Festival mladých výtvarníků roku 2017 v Národním muzeu umění a kultury Mysteckyj Arsenal nesl příhodný název „Dnešek, který nenastal" (kurátorkami výstavy byly Lizaveta Herman, Marija Laňko a Kateryna Filjuk).

Změní se tento pocit nejistoty nyní, po roce 2022, kdy je Ukrajina obětí válečné katastrofy? Pravděpodobně ano. Válka přinese novou, jasnější optiku, a staré problémy tak ustoupí do pozadí. Na jedné straně válka vynáší na světlo dosud nepředstavitelná zvěrstva nepřítele a krizi starého utopicko-humanistického světového řádu, na straně druhé odhaluje neuvěřitelnou solidaritu Ukrajinců a jejich neochvějnou víru ve vítězství a nové možnosti pro jejich zemi.

# Nová vlna: Ukrajinská obrazová transavantgarda, 1987–1993

Dílo *Všeobjímající moc bytí Ejn Sof* Oleksandra Rojtburda je projevem autorovy vlastní estetiky a zároveň patří k oděské období nové vlny. Jeho narážky a emoční blízkost k celým kulturním dějinám malířství jsou pro tento styl příznačné, což je paradoxní vzhledem k tomu, že umělci nové vlny hlásali „smrt" výtvarného umění a nemožnost tvořit skutečný význam a hodnotu. Záměrem autora bylo ukázat nefalšovaný, pastózní přízrak. Rojtburd věnoval velkou pozornost textuře a fyzické stránce malby a pohrával si přitom s myšlenkou mýtu. Jeho obraz se poprvé objevil na výstavě „Po modernismu 2" v Oděském muzeu výtvarného umění v roce 1990. Rojtburd v něm poslední tři roky svého života (2018 až 2021) působil jako charismatický výkonný ředitel.

V době svého příklonu ke transavantgardě rozvíjel koncepci „velkého obrazu": umocňoval okázalost formy a svá plátna rozšiřoval do obřích rozměrů. Na své další výstavě nazvané „Nové figurace" představil více než šestnáctimetrovou instalaci – „Berlínskou zeď" obrazů, jak vtipně poznamenali jeho kolegové. Podmanivost zdánlivé nekonečnosti formy (která je ve skutečnosti jen vnější skořápkou prázdnoty) byla příznačně patrná v již zmíněném díle *Všeobjímající moc bytí Ejn Sof*. Nekonečný a bezbřehý Ejn Sof je podle kabalistické filozofie transcendentní Bůh v té nejčistší podobě, komplexnost božské myšlenky bez hranic. Na Rojtburdových plátnech se objevuje i jeho osobní ikonografie: lidé připomínající pomníky, „Adam" v brnění římského vojáka či „Eva" nejistě balancují na koulích umístěných na trojúhelnících v abstraktním bouřkovém prostoru, na pozadí hustých mraků připomínajících bochánky.

V devadesátých letech Oleksandr Rojtburd vzdával hold tehdy oblíbenému žánru „apropriačních videí" a zůstal jednou z nejkultovnějších postav ukrajinské malby. Po hermeneutické fázi nové vlny tvořil nespoutaná umělecká díla více reflektující tehdejší dobu. Postmoderní dialog kultur – aktuální s nadčasovou, vysoké s nízkou, elitářské s přízemní – se vyvíjel směrem ke srozumitelné metamoderně, nové upřímnosti a pop-artu, aniž by to ohrozilo kvalitu malby. Ve výtvarném umění se objevovaly oblíbené politické a historické události a osobnosti, klasici i současníci, od osvícence Hryhorije Skovorody, rabína Nachmana z Braclavi a Lenina až po Julii Tymošenko. Tyto postavy plynule přešly z oblasti posvátna a mystiky do říše celebrit a popových idolů.

V roce 1988 založili Oleh Tistol, Kostjantyn Reunov, Oleksandr Charčenko, Maryna Skuharjeva, Jana Bystrova a Anatolij Stepanenko skupinu Hranice silné vůle národního post-eklekticismu. Jejich tvorba na rozdíl od univerzálnosti Rojtburdových obrazů představovala národní větev nové vlny a zkoumala mnohostrannou ukrajinskou identitu. Důsledný byl ve svých záměrech Tistol:

1

**Oleksandr Rojtburd**
*Všeobjímající moc*
*bytí Ejn Sof,* 1990
Olej na plátně
400 × 300 cm
PinchukArtCentre, Kyjev

celou kariéru se držel hlavních témat, jež nastínil na samém počátku, například v dílech *Projekt ukrajinských peněz, Muzeum dějin, Hory* a *JuBK* („Jižní břeh Krymu"). Neúnavně hájil „krásu národního stereotypu" – ukrajinskou obdobu pop-artu, jeho domnělou ornamentálnost a recyklaci kultovních prvků a vzorů z každodenního života. K vytvoření cyklů s tématem pohoří *Kazbek* a *Ararat* jej například inspirovala metafyzická krása sovětských cigaretových a koňakových etiket. Schopnost ocenit předměty denní potřeby byla pro tohoto absolventa Uměleckoprůmyslové fakulty Lvovské národní akademie umění přirozeností. Specialitou Tistola a jeho kolegů v malířské praxi bylo využívání šablon.

K dílům z tohoto období patří malby *Sjednocení* (1988), *Kondotiér* (1988) a *Bohdan Zinovij Chmelnický* (1988), které s postmoderní ironií přehodnocují

2
**Oleh Tistol**
*Sjednocení*, 1988
Olej na plátně
270 × 240 cm
PinchukArtCentre, Kyjev

národní mýtus o údajném „sjednocení" Ukrajiny s Ruskem v roce 1654. Dle něj hetman Bohdan Chmelnický kvůli údajnému náboženskému a sociálnímu útlaku pravoslavného obyvatelstva Polsko-litevskou unií požádal o pomoc ruského cara Alexeje, a záporožská armáda i území Hetmanátu, jež ovládala, se tak ruské nadvládě podřídily dobrovolně (viz čtvrtá kapitola). Příběh tohoto „sjednocení" a perejaslavské smlouvy, která mu předcházela a kterou kozáčtí velitelé přijali historické rozhodnutí, byl velmi oblíbený v sovětském umění. Chceme-li jej lépe pochopit, stačí se podívat na malbu *Navždy s Moskvou, navždy s ruským lidem* Mychajla Chmelka. Tistol zřejmě odkazoval naráz na celé spektrum děl s tímto tématem, a naznačil tak, že Ukrajina, jež se ocitla v moci povýšeneckého Ruska, toho bude dříve či později litovat. Dnes je skrytý podtext jeho díla naprosto zjevný.

Posledním romantikem generace nové vlny byl Oleh Holosij, který tragicky zemřel ve svých osmadvaceti letech na počátku roku 1993. Po jeho smrti nová vlna logicky dospěla ke svému konci. Jak v roce 2019 ukázala retrospektivní výstava v kyjevském centru Mysteckyj Arsenal, Holosij byl brilantní, intuitivní malíř-vizionář. Měl vhled do jiných světů a dimenzí – od těch nejtemnějších až po ty nejjasnější – a jeho odkaz inspiroval mnoho dalších výtvarníků. Jeho partnerka Valerija Trubina vzpomínala, jak bleskově maloval; v jediném impulsu dokončil celou malbu během jedné noci. Jeho dílo lze rozdělit na dvě období. V tom prvním inklinoval k heroické transavantgardě, kdy vstřebával velkou tradici muzejní malby, od Piera della Francescy po Francise Bacona a od Konstantina Makovského po Giorgia de Chirica. Jeho druhé období postmediální tvorby nazvala kunsthistorička Jekaterina Ďogoť „dary kleptomana“: bezostyšně si přivlastňoval vše, co ho zaujalo, nejčastěji efektní záběry z filmové klasiky. Jednou si prý na trhu koupil knihu *Hollywood* a podle kolegů pak vše přemaloval. Dílo *Dobře* (1991) zachycovalo i jeho vnitřní svět – jeho psychedelický stav transu, splynutí se světem, které může zažít jen málokdo. Malba znázorňuje panorama s ohnivým západem slunce na tropickém ostrově, kde vzduch houstne, ožívá, zviditelňuje se, a když jeho brázdy protnou mouchy s lidskými tvářemi, začne pulzovat. Jedna moucha má ve stavu blaženosti tvář autora – tak vypadá skutečné prozření, zjevení smyslu života.

3
**Oleh Holosij**
*Dobře*, 1991
Olej na plátně
200 × 300 cm
PinchukArtCentre, Kyjev

# Umění devadesátých let: vývoj inscenované fotografie a videa, 1993–2001

Směřování a styl ukrajinského umění od konce osmdesátých let do roku 2000 do značné míry určoval Arsen Savadov, který bez nadsázky patří k ústředním představitelům ukrajinského výtvarného umění konce dvacátého století. Jeho díla *Kleopatřin smutek* (1987) a později *Vitální sezóna* (1987) a *Melancholie* (1988; jehož spoluautorem je Heorhij Senčenko) se stala východisky ukrajinské trans-avantgardy a ikonami stylu, velkého hrdinského kánonu, který formoval okruh umělců kolem tohoto autora.

V devadesátých letech, kdy se výtvarníci začali odklánět od malby, Savadov ve světě umění zastával i nadále jednu z ústředních pozic díky své schopnosti jasné koncepce a vyjádření svého poselství v ambiciózních, velkoplošných dílech. Od roku 1997 až do roku 2005 vytvářel jeden fotografický projekt za druhým: *Donbas-čokoláda* (1997), *Móda na hřbitově* (1997), *Kolektivní rudá* (1998–1999), *Andělé* (1997–1998), *Underground 2000* (1999), *Cocteau* (2001), *Kniha mrtvých* (2001) a *Last project* (2002). Savadov je označuje za sociální performance nebo sociální dokumenty. Nejde však o reportážní fotografie, ale spíše o intervenci, vstup do nitra společnosti, a o interakci v jejích nebezpečných okrajových zónách, například v dolech, masokombinátech, na hřbitově či dokonce v márnici (jednou z takových okrajových oblastí bylo i umění).

O tom, jak umělecký výkon vzniká v extrémních podmínkách, koluje řada historek. Savadov vyprávěl, jak se z fotografování stala iniciace: horníci nechali náruživý fotografický štáb v kleci „spustit do pekelně horké lávy" v dole („až nám koule uvízly v krku"). Jakmile se horníci s „nováčky" spřátelili, ochotně jim pózovali v nepatřičných baletních sukýnkách jako stvoření z jiného světa (obr. 4). Podle Savadova byla devadesátá léta obdobím cynismu, kdy došlo ke znehodnocení humanistických hodnot, vyžadovala proto odpovídající způsob vyjádření – nikoli zlehčování toho, co se dělo, ale uchopení podstaty a pochopení pod čistým řezem skalpelu. Tento otevřený střet etiky a estetiky vyvrcholil na fotografiích mrtvých těl v márnici v caravaggiovském duchu, kdy si divák hned neuvědomí, koho nebo co má před sebou. Navzdory této drsné podívané zůstal Savadov při sestavování těchto cyklů estétem a transmediálním umělcem. Jeho fotografické cykly jsou plné obrazových narážek a řídí se zákony kompozice. Materiál z fotografování později využíval v malbě, k níž se vrátil po roce 2000, kdy se doba uklidnila.

Znalec „kriminální romantiky" Vasyl Caholov rozvinul myšlenku „pseudo-dokumentaristiky" – fiktivní dokumentaristiky, která je věrohodnější než běžná

4
**Arsen Savadov**
**Z cyklu *Donbas-čokoláda*, 1997**
Barevný tisk
180 × 120 cm
PinchukArtCentre, Kyjev

realita. Podle něj byly přesvědčivé jen ty záběry, které jsou záměrnou inscenací. Devadesátá léta byla poznamenána nejen bující kriminalitou, ale také filmy Quentina Tarantina – scény jako ve filmu *Pulp Fiction* se odehrávaly v životě i v umění. I pro Caholovovy performance a instalace byly charakteristické zásahy do sociálního prostředí. V performanci *Karla Marxe – Père Lachaise* (1993) se v centru Kyjeva za bílého dne teatrálně „postříleli" členové výtvarné scény; při instalaci *Bitka gangů* (2000) byly po celé Bratislavě rozmístěny automobily s „mrtvými" figurínami. K souboru děl, jež na efekt inscenovala násilí, patřily také performance *Kriminální týden* (1994) a *Měkké hrůzy* (1998) a konečně i narativní video o maniakálním psychoanalytikovi fascinovaném magií nazvané *Mléčné párky* (1998).

Inscenované fotografie a videa té doby tíhly k šokující estetice, která však ztělesňovala samotnou realitu. *Spící ukrajinští princové* (1997) Ilji Čyčkana zobrazují abnormální embrya z muzea anatomie, která autor „ozdobil" okázalou bižuterií. Tato afektovaná podívaná byla narážkou na následky černobylské katastrofy. Spolu s Piotrem Wyrzykowským Čyčkan vytvořil dystopický projekt na pomezí fotografie a videa nazvaný *Atomic Love* (2001), v němž se „poslední lidé" v ochranných oblecích a skafandrech procházejí zničenou krajinou černobylské vyloučené zóny, líbají se a milují. O osmnáct let později se Čyčkan (ve spolupráci s Ihorem Tyščenkem) k tématu vrátil ve své dnes již slavné divadelní postavě člověka-opice. Video s názvem *51.2763 N, 30.2219 E*, což je zeměpisná poloha Prypjati (rusky Pripjať – pozn. red. – město evakuované po jaderné katastrofě v Černobylu), zachycuje postiženou obec jako zemi beze jména: město duchů, kde již nežijí lidé, ale skotačí „mutant" v podobě velké opice.

Dalším radikálním gestem, dalším pekelným kruhem – nebezpečným výletem za zrcadlo společnosti, který je třeba zmínit v kontextu nekompromisního ducha dané dekády – je cyklus *Anamnéza* (2001) Boryse Mychajlova, vystavený kurátorem Jerzym Onuchem v Centru současného umění NaUKMA. Mychajlov navštívil bezdomovce v Charkově – což nebyl tak docela bezpečný podnik, protože tací lidé neměli představu o přijatelných formách společenského chování – a vyzval je, aby se svlékli a ukázali svá těla znetvořená nemocemi. V jeho díle se jejich vředy proměnily v duševní rány společnosti nemocné lhostejností. Proč to bylo nutné? Nejspíše proto, že – jak autor neúnavně opakuje – krása je pravda.

„Devadesátá léta byla poznamenána nejen bující kriminalitou, ale také filmy Quentina Tarantina – scény jako ve filmu *Pulp Fiction* se odehrávaly v životě i v umění."

# Politické umění generace
# po oranžové revoluci, 2004–2014

Generace dospívající kolem roku 2005 měla o cílech umění a metodách jejich realizace zásadně jiné představy než ta předchozí. Tiberij Silvaši, který vstoupil na uměleckou scénu již v osmdesátých letech, popsal její světonázor jako „spíše efektivní než afektivní". Tím chtěl říci, že její racionální politická poselství a jasný jazyk byl dokonale čitelný západní uměleckou scénou. Kromě niterné potřeby kritického vyjádření, jež byla v té době v ukrajinském výtvarném umění zvlášť aktuální, umělci generace po oranžové revoluci brali v úvahu i skutečnost, že politika a umění jsou jedno a totéž.

K předním představitelům této generace patří nesporně Nikita Kadan. Patřil ke skupině R.E.P. (viz obr. 8, str. 232), jež se stala odrazovým můstkem ke kariéře svých členů. Kadan přistupuje k systému jasně kriticky již od projektu *Operační sál* z roku 2009, kde na bílé talíře v imperiálním sovětském stylu natiskl nákresy různých metod policejního mučení tak, jak je zaznamenali aktivisté za lidská práva. Charakteristická pro něj zůstává technika zrcadlení doby a ideologií: dnešek je vždy nahlížen perspektivou či prizmatem včerejška. Umělec se zajímá také o politiku dějin, která nikdy není objektivní, ale vždy je interpretována z různých subjektivních hledisek. V grafickém cyklu kreseb *Pogrom* (2016–2017) Kadan odkazuje na fotografie pořízené při židovském pogromu ve Lvově v červenci 1941, kdy přišly o život tisíce Židů a mnoho

6
Žanna Kadyrova
„Bezpečnostní kamery" z cyklu
*Neviditelné formy*, 2015
Dřevo a cement
Pohled na instalaci, Cent
Quatre, Paříž, Francie

7
**Nikita Kadan**
*Domeček pro obry*, 2012
Různě nalezené předměty,
dřevo, kov, sádra, barva
Pohled na instalaci,
PinchukArtCentre, Kyjev

dalších bylo vyhnáno z domovů a vystaveno veřejnému ponižování. Zabývá
se také problémem manipulace s dějinnou pamětí a její (dez)interpretací pro
účely propagandy. Podle něj neexistuje „objektivní pravda", ale historie je
propletencem mnoha dějinných, národních a osobních zájmů. Ztělesněním
Kadanova zájmu o historický revizionismus a jeho post-utopických, post-
-avantgardních vizí byla v roce 2021 retrospektivní výstava s názvem „Kámen
bije kámen" v PinchukArtCentre. Jedním z jeho hybridních děl vycházejících
z disonance vysokého a nízkého je *Domeček pro obry* (2012): ošklivý sovětský
typický dům ze sedmdesátých let se v duchu sovětského neomodernismu snoubí
s čistými formami jakéhosi ideálního architektonického objektu. Vypovídá tak

o groteskní nadsázce: o idealizaci role proletariátu v sovětské architektuře a umění a v ideologii, která je zrodila.

O hmatatelném ztělesnění historické paměti podobně uvažuje Žanna Kadyrova, která rozvinula pop-artovou myšlenku anti-památníku běžných, neviditelných věcí. Recykluje materiály z každodenního života: ze starých sovětských kachlů ze stěn mizejících budov vytvořila nové předměty, a minulosti tak dala druhý život. V cyklu *Neviditelné formy* (obr. 6, s. 230), vystaveném roku 2011 v centru Mysteckyj Arsenal, se pokusila o revoluční změnu našeho vnímání reality. Zvykli jsme si, že sochařské umění zvěčňuje nejen to zjevné, ale i to, co je prezentováno s patosem. Kadyrova představuje a upozorňuje na objekty v prázdnotě, samotný prázdný prostor však přehlíží, přestože právě ten do velké míry tvoří svět. Vzdálenost atomového jádra od elektronu je mnohonásobně větší než velikost atomu – svět se tedy v podstatě topí v prázdnotě, a jak umělkyně naznačuje, my se do prázdnoty neustále „propadáme". Tuto myšlenku autorka ztvárnila s naprostou vizuální samozřejmostí, když dala světlu z luceren, reflektorů, projektorů i bezpečnostních kamer tvar paprsků. Tyto nehmotné, neviditelné „věci" dostávají konkrétní podobu ve svém protikladu, v nejsurovějším a nejrobustnějším ze všech možných materiálů: v betonu.

Trojrozměrná kopie díla Žanny Kadyrové *Pomník pomníku* (objekt ve tvaru památníku zahalený závojem) dala metaforický i skutečný název ukrajinskému národnímu projektu vystavenému na benátském bienále v roce 2013. V té době bylo zvlášť aktuální téma dekomunizace a odstraňování sovětských pomníků. Pomník je – již na základě etymologie tohoto slova – koncentrované, materiální

8
**Skupina R.E.P.**
*We Will R.E.P. You*, 2005
Majdan Nezaležnosti
(náměstí Nezávislosti), Kyjev

9
**Stas Voljazlovskyj**
*Hrdinský čin koně*
*Matroskina*, 2015
Textil, kuličkové pero,
kombinovaná technika
136 × 161 cm
Ze sbírky Boryse a Teťjany
Hrynjovových

ztělesnění historické a kulturní paměti. Manipulování s dějinami a jejich nekonečné přepisování ničí náš smysl pro realitu toho, co se stalo kdysi, i toho, co se děje dnes. Příšerná tradice začít „nultý" dějinný cyklus tím, že se do základů zničí vše staré, byla dědictvím sovětské éry. Součástí projektu na zmíněném bienále bylo také video *Pomník* (2012), jehož autorem byl Mykola Ridnyj. Z pohledu údajně nezaujatého pozorovatele ukazovalo dramatickou destrukci utopie minulosti – demontáž sovětského pomníku a instalaci nového v Charkově.

Jak oranžová, tak revoluce důstojnosti zvýšily povědomí o společenských souvislostech, což snad nejlépe ilustrují veřejné performance experimentální umělecké skupiny R.E.P., jejímiž členy byli Kadan i Kadyrova. Dne 7. listopadu 2005, kdy se v politicky vypjatém prostoru kyjevského náměstí Nezávislosti (Majdan Nezaležnosti) konaly dvě demonstrace – komunistů a patriotů – proběhla tam také akce s názvem *We Will R.E.P. You*. Umělci se během ní „postavili do čela" demonstrantů a vystupovali jako nezávislá politická skupina s transparenty s citáty od Andyho Warhola a Josepha Beuyse.

Dalším výsledkem zvýšení politického a sociálního povědomí v umění byl vzestup stylu „šanson-art" Stase Voljazlovského. Voljazlovskyj tvořil živé a jedinečné verze vlastního etnografického umění: jeho kresby kuličkovým perem na textilu či na papíře v podobě plakátových novin připomínají tetování z pracovních lágrů (obr. 9). Autor popsal svůj tvůrčí styl buď žertem nebo vážně jako propagaci tzv. „šansonového rádia" – hudbu, kterou si dodnes nahlas pouští řidiči městské hromadné dopravy a která obtěžuje vzdělané vrstvy obyvatel a je považována za pozůstatek sovětské kultury a projev provinčnosti (jde o písně nevalného obsahu i melodie v ruštině – pozn. red.).

# Postmediální malba po roce 2000

Významným představitelem transavantgardní malby v ukrajinské nové vlně na přelomu osmdesátých a devadesátých let byl Oleksandr Hnylyckyj. Právě on do značné míry předznamenal její specifické, úchvatné rysy, například „dětský diskurz", „roztomilost" či překotnost, neúplnost výpovědi. Hnylyckyj tvořil velkoformátová díla připomínající dětské kresby nepochybně s cílem „vymýtit" malířství. Klasička socialisticko-realistického malířství Teťjana Jablonska prý při pohledu na jeho obraz *Volání Laodikeji* omdlela. Cíle otřást základy výtvarného umění autor dosahoval díky nihilistické fázi mladistvého maximalismu a později se k tomuto médiu vracel s novým pochopením jeho úkolů.

Od roku 2005 až do své smrti v roce 2009 Hnylyckyj tvořil ve stylu iluzionismu. Taková malba obvykle neodpovídá definici fotorealismu a k fotografickému detailu nijak netíhne. Umělec obraz zevšeobecnil a vytvářel živou iluzi objektu v prostoru; rozehrával jakési „divadlo objektu". Jeho dílu dominuje pronikavé ticho a metafyzičnost. Skutečnými hrdiny jsou židle, lustry, lampy, dveře, okna či schody neodbytně vedoucí diváka do jiné dimenze. První projekt, vystavený v kyjevské galerii CECH, nesl název *Chata* (ukrajinsky *Dača*, 2005). Hnylyckyj v něm využil umění „klamu" (vzniklo v sedmnáctém století v Nizozemsku), kdy od sebe nelze rozlišit obraz a objekt. Malované obrazy nahradily odpadky, které zaplnily celou garáž: červený motocykl, ledničky, knihy. Hnylyckyj se tak vyjádřil k nepotřebným předmětům, které je nám líto vyhodit: ke všemu tomu haraburdí nás poutá sentimentální náklonnost, neboť věci jsou avataři přestávající existovat dříve než my.

Pro umělce se každý zobrazený objekt stává alter egem. Člověk se odráží v objektu a objekt v člověku – doslova i obrazně. Po tradičním fotorealismu Hnylyckyj zdědil lásku k lesklým plochám. Záblesk v díle *Továrna na čokoládu* (2009) symbolizuje jeho existenciální prozření a objevuje se jako romantické bouřkové světlo na tmavě šedé obloze. Jde o tvůrčí závěť i „autoportrét" umělce, tak jasně čitelná je emocionální zpětná vazba mezi ním a objektem vyobrazení.

Koncem osmdesátých let začal tvořit i Vasyl Caholov, který svým sedmimetrovým plátnem s názvem *Leviatan* určil abstraktní směr vývoje ukrajinské nové vlny. Brzy poté, v roce 1992, vytvořil figurální cyklus obrazů připomínajících záběry z akčních filmů nazvaný *Guma pocitů*. Vzniká tak postmediální styl, v němž jedno médium přebírá specifika jiného. Jak již bylo řečeno, Caholov se ve svých performancích, fotografiích a videích z devadesátých let držel kriminální poetiky. Ta se zrodila s cyklem *Guma pocitů*, který již má všechny rysy nového stylu: nenápadnou melancholii nebytí a nespoutanou show násilí. Svědčí také o jasném postoji autora, který bude Caholov dále rozvíjet: chladný odstup malíře od způsobu malby. Jako by na plátno cákal část nefiltrovaného informačního toku, jenž ho obklopuje; není tu nic osobního.

10
**Oleksandr Hnylyckyj**
*Továrna na čokoládu*, 2009
Olej na plátně
304 × 214 cm

11
**Vasyl Caholov**
*Moucha*, 2011
Z cyklu *Přízraky strachu*
Olej na plátně
280 × 380 cm

12 (*naproti*)
**Tiberij Silvaši**
*Malba*, 2000
Akryl, voda, dřevo, celofán
Pohled na instalaci, Centrum
současného umění NaUKMA,
Kyjev

Po roce 2000 tento odstup autora od sebe sama vytváří mezery v zorném poli, které je tak plné prázdných či slepých míst. Plocha plátna připomíná blikání televizní obrazovky – informační matrici každodenního života. Caholov začal pracovat s tématy ironicky transformovaných anekdotických příběhů z masmédií, jako je například invaze mimozemšťanů na pole a do chlévů v díle *Ukrajinská Akta X* (2001), a vnější odpovídá vnitřnímu. Postupně vznikají díla vyjadřující davové psychózy: *Přízraky strachu* (2002), *Zbloudilá kulka* (2005), *Koho se bojí* [Damien] *Hirst?* (2009) a *Strach má velké oči* (2014). Nejhorším ze všech je ovšem strach z terorismu, který Caholov někdy pojednává po způsobu Ezopových bajek. Obří *Moucha* (2011), zelená příšera se sebevražedným šáhidským pásem na pozadí krvavého západu slunce, skutečně vyvolává hrůzu a odpor. *O tempora, o mores!* – časy se mohou měnit, ale zvyky zůstávají stejně krvelačné.

Vedle figurální malby ve všech jejích podobách se v ukrajinském umění od počátku devadesátých let až do současnosti rozvíjí také abstrakce, a to v souladu s modernistickým estetickým diskurzem, jenž hájí autonomii plastických hodnot jako svého druhu neoplasticismus. Výchozím bodem byla kyjevská skupina „Obrazová rezervace", která měla výstavu roku 1992, a její členové Tiberij Silvaši, Marko Heiko, Anatolij Kryvolap a Oleksandr Žyvotkov. Tento trend nenarativního umění se objevil spolu s radikálním redukcionismem, jehož výsledkem bylo tzv. nepředmětné umění. V roce 2017 vznikla skupina Kyiv Non Objective (KNO), kterou tvořili Silvaši, Badri Gubianuri, Olena Dombrovska, Myroslav Vajda a Serhij Popov. Podle Silvašiho, ideologa skupiny, je podobné umění jedinou pravdou ve světě post-pravdy, protože divákům nepodstrkuje žádné významy ani asociace, ale nutí je, aby se nořili hlouběji do svého nitra.

Kurátor Jerzy Onuch koncipoval projekt *Malířství* v Centru současného umění NaUKMA v roce 2000 jako dialog o moderní roli a funkcích malířství mezi dvěma významnými abstraktními výtvarníky, a to mezi Tiberijem Silvašim (s asistenty Ilonou Silvaši, Jaroslavem Prysjažnjukem a Jurijem Jermolenkem) a polským výtvarníkem Leonem Tarasewiczem. Projekt se stal další etapou Silvašiho úvah o tom, že hlavním předmětem malby se může stát i barva a její materiální nositel – nátěr. Vytvořením prostoru totální barevnosti autor diváka zcela vtahuje do díla, a dává mu tak možnost vstoupit do obrazu.

# Nový obrat ve společnosti:
# Výtvarné umění po roce 2010

Každé nové kolo osvobozeneckého hnutí na Ukrajině podněcuje k činnosti nové generace výtvarníků. Revoluce důstojnosti v roce 2014, okupace Krymu a Donbasu i válka s Ruskem v roce 2022 (která ovšem začala již roku 2014) – všechny tyto události nevyhnutelně změnily uspořádání umělecké scény. Zřetelně se na ní projevuje vlna společenských změn spojených s novou válečnou realitou. Hlavním trendem je i nadále politické umění, které se stále rozvíjí a vyvíjí. Snížila se míra agitačního zápalu a objevuje se větší hloubka, poetičnost a určitý antropologický přístup: umělci důkladně zkoumají specifické aspekty existence tady a teď v jejich politickém, historickém a kulturním kontextu.

Revoluce v roce 2014 nejen zrodila nové generace výtvarníků, ale dala také nový význam tvorbě známých starších umělců. Příkladem je Vlada Ralko, autorka velkolepého grafického cyklu *Kyjevský deník* s více než 400 díly na papíře formátu A4. Cyklus je plný emocí vyvolaných tehdejším děním – od radosti z národní hrdosti po hluboké zoufalství. Tyto emoce prožíváme i nadále: Vlada Ralko již tvoří novou kroniku současné války. Ve svém *Lvovském deníku* zachycuje nejen každodenní válečné hrůzy, ale i odolnost a dobro, které v lidech nachází. Zajímá ji totiž lidskost, jež se obvykle projevuje právě v těžkých dobách.

Nová etapa kritického umění se vyznačuje zejména zaměřením na problémy nové generace a díla, která se jim věnují, jsou často nominována na cenu Pinčukova uměleckého centra (PinchukArtCentre Prize). O vývoji takového dějinného diskurzu (když už ne objektivního, tedy přinejmenším zjevně podmíněného) již byla řeč. K aktuálním tématům patří měnící se pojetí genderové identity a genderových rolí, „postsovětské" kolektivní vědomí a nevědomí, válka a krize antropocentrismu se všemi jejími důsledky. K rozvoji mladých výtvarníků a výtvarného umění na Ukrajině skutečně významně přispělo zřízení cen PinchukArtCentre pro mladé umělce: již zmíněné národní a dále mezinárodní ceny Future Generation Art Prize. Mladé umění se v tomto desetiletí nedostalo do popředí náhodou – právě ono velmi pohotově reflektuje tragické proměny reality. Potvrdila to díla představená na Festivalu mladého umění ve výstavním centru Mysteckyj Arsenal (2017) i na Druhém charkovském bienále mladého umění (2019).

K typickým představitelům nové ukrajinské výtvarné scény patří Roman Chimej a Jarema Malaščuk. Jejich tvorba je příkladem pozoruhodného obratu k obrazovce – video se nyní stává zvlášť oblíbeným médiem. Oba umělci pocházejí z Kolomyji a studovali na Ústavu filmového umění Kyjevské národní univerzity divadla, filmu a televize. Od roku 2013 se společně pohybují na hranici vizuálního umění a kinematografie, a to jako výtvarníci, kameramani a režiséři.

13
**Vlada Ralko**
**Z cyklu *Kyjevský deník*, 2014**
Papír, akvarel, kombinovaná
technika
30 × 20 cm

Jejich videa jsou osobité diagnózy určitých společenských výseků, jak sami potvrzují: „vyprávíme o sociálních skupinách a komunitách", jež vypovídají o stavu veřejného vědomí jako celku. Oba autoři pracují v žánru tzv. mockumentu, tedy pseudodokumentárního filmu. Přestože zdánlivě nenuceně sledují děj, zkoumají vlastně možnosti uměleckého ztvárnění obrazu. V roce 2018 získali druhou cenu Pinčukova uměleckého centra za svůj film *Proč nás opouštíš, otče náš!* (obr. 14, str. 240), v roce 2019 vyhráli první cenu v soutěži MUCHI (Mladí ukrajinští umělci) za film *Věnováno mládeži celého světa* a v roce 2020 se stali hlavními vítězi ceny Pinčukova uměleckého centra s filmem *Přímý přenos*. Již jeho název vystihuje přístup autorů k interakci s realitou: coby svědkové podivných scén vysílají zdánlivě přímý přenos, zatímco ve skutečnosti uvádějí inscenované představení. Ve filmu *Proč nás opouštíš, otče náš!* (2018) Chimej a Malaščuk rekonstruovali zkoušku sboru Černihivského oblastního filharmonického sboru, který vystupuje v roli lidu z ruské opery *Boris Godunov* Modesta Petroviče Musorgského. Toto všední a zároveň vznešené drama jasně vyjadřuje hluboce zakořeněnou sovětskou mentalitu a neuspořádanost, jež stále vládne v oficiálních kulturních i dalších institucích na Ukrajině. Umožňuje tak vnímat dílo mladých umělců jako kritiku zahleděnosti do minulosti, tedy reflexe současnosti prizmatem dědictví minulosti.

Charkovští umělci Danijil Revkovskyj a Andrij Račynskyj se také zabývají analýzou okrajových frakcí a skupin. Výsledkem je nelichotivá diagnóza celé společnosti. Na výstavě nominovaných na cenu Pinčukova uměleckého centra za umění v roce 2018 představili dílo v duchu investigativní žurnalistiky s fotografiemi ze sociálních sítí a městského prostředí. Zaměřili se na tragédii, která se stala v roce 1996 ve městě Dniprodzeržynsk (nyní Kamjanske), kdy došlo k selhání brzdového systému tramvaje KTM-5; zahynulo čtyřiatřicet lidí a více než sto jich bylo zraněno. V roce 2021 měli tito autoři v PinchukArtCentre samostatnou výstavu nazvanou „Kalová laguna" představující budoucí Muzeum lidské civilizace, vytvořené jakoby už po jejím zániku. Projekt byl věnován archeologii komplexu zvláštních zařízení určených k ukládání radioaktivního a toxického odpadu z obohacování nerostných surovin v průmyslovém městě Kryvyj Rih. Tato dystopická vize ukazuje, kam nás může barbarské zacházení

14
Jarema Malaščuk a Roman Chimej
*Proč nás opouštíš, otče náš!*, 2018

se zdroji Země brzy dovést. Nejpůsobivější částí díla je video, v němž se autoři vžívají do rolí „posledních lidí" na Zemi.

Jaká je budoucnost současného umění na Ukrajině? V době vydání této knihy je země stále ve válce, jež začala ruskou invazí v únoru 2022 (od roku 2014 Rusko okupuje Krym a východní regiony Ukrajiny). K dnešnímu dni ruská vojska na Ukrajině zničila nebo poškodila stovky muzeí a galerií a spoustu vzácných artefaktů včetně skythského zlata ukradla nebo vyrabovala. Podpora Ukrajiny v širším uměleckém světě je však povzbudivá. Pavlo Makov opustil v dubnu 2022 kryt v Charkově, aby odjel reprezentovat Ukrajinu na benátském bienále (viz str. 220). Díla současných i starších ukrajinských výtvarníků vedle děl mezinárodních umělců vytvořených jako projevy solidarity pak představila další výstava s názvem „Tohle je Ukrajina", jež vznikla ve spolupráci s kanceláří prezidenta Zelenského. Projekt Stíny (Shadow Project) mezitím stále bojuje za to, aby byli konečně uznáni ti umělci a jejich díla, kteří jsou nazýváni ruskými, jako ukrajinské dědictví. Londýnská Národní galerie tak změnila název Degasova obrazu z původních *Ruských tanečnic* na *Ukrajinské tanečnice*. Celá země se snaží: vzácné artefakty a vrcholná díla ukrajinského umění byly přestěhovány na bezpečná místa, kurátoři a výtvarníci byli evakuováni a mnohé památky chrání hromady pytlů s pískem. Dne 10. června 2022 byla v kyjevském komplexu Mysteckyj Arsenal otevřena první výstava od začátku celoplošné války. Nesla název „Výstava o našich pocitech" a byla věnována tomu, jak se změnilo ukrajinské vnímání umění v posledních měsících. Text výstavy vystihl odolného ducha země: „Ani bolest, ani šok nevyčerpávají náš život. Existuje také naděje, vytrvalost, oddanost a láska. Stále existuje krása i budoucnost."

15
**Danijil Revkovskyj a Andrij Račynskyj**
*Kalová laguna*, 2020

# Lidové umění

## Alisa Ložkina

Odkud se vzalo výtvarné umění? Rozhodně ne na akademiích, v muzeích a galeriích. Jeho institucionální struktura je výsledkem poměrně nedávné minulosti a vyvíjela se v průběhu několika posledních století. Touha tvořit je však vrozená, a to nejen profesionálním umělcům. Lidové umění je významnou složkou světového uměleckého dědictví. Dělení na profesionální a lidové umění – na umění „vysoké" a užité, na zasvěcence a nezasvěcené – je nepřirozené. Profesionální umění představuje pouze jednu z etap dějin umění v určité části světa.

Ukrajinské lidové umění je směsicí tradic, jež mají své kořeny ve starověku i v moderní době. Na jedné straně zdánlivě zamrzlo ve věčnosti a řídí se pravidly a archetypy dávno minulých časů. Na druhé straně se umí překvapivě přizpůsobovat a využívat nové technologie, materiály a měnící se kulturní kódy. Ukrajinské lidové umění se po staletí vyvíjelo souběžně s profesionálním uměním. Sloužilo kulturním potřebám většiny obyvatel, protože před vznikem masové reprodukce uměleckých děl a rozšířením gramotnosti bylo umění dostupné pouze elitě.

Předměty lidového umění v sobě často spojují uměleckou a užitnou hodnotu, i když to není podmínkou. Mezičlánkem mezi užitým a čistě dekorativním uměním je lidová ikona: nepostradatelný atribut ukrajinského obydlí. Venkované ve svých chalupách tradičně umisťovali ikony v tzv. „červeném koutku" – na zvlášť vyhrazeném místě, zdobeném vyšívanými obřadními látkami, tzv. *rušnyky*. Převážně estetickou funkci měly nástěnné malby chalup, lidové olejomalby a zdobená velikonoční vajíčka. Jedním z nejrozšířenějších námětů ukrajinských lidových maleb byl lidový hrdina kozák Mamaj, který na obrazech seděl uprostřed stepi a v ruce držel tradiční ukrajinský hudební nástroj, banduru (viz s. 153). V devatenáctém a na počátku dvacátého století již byly poměrně časté obrazy s každodenní tematikou, idylické krajiny a zátiší s květinami. Toto umění „mlčící většiny" je úchvatné nejen díky své archetypálnosti, ale i pro pocit spokojenosti, který vyzařuje z většiny obrazů. Někdy se může zdát, že euforie strnulého světa lidové malby je synonymem šťastného života zemědělců, kteří tato díla vytvářeli. Vzniká tak bizarní mýtus o „zlatém věku" lidového umění, jehož autoři i konzumenti existují v jakési ideální Ukrajině. Je však třeba připomenout, že utopický optimismus lidové tvorby slouží jako psychologická obrana před tíhou každodenního života. Čím je život těžší, tím silnější je touha po idyle.

K nejzajímavějším typům ukrajinského lidového umění patří ručně zdobené velikonoční kraslice, ukrajinsky *pysanky*. Tato tradice má kořeny v předkřesťanských jarních rituálech spojených s probouzením přírody a kultem plodnosti. V křesťanské kultuře jsou *pysanky* všudypřítomnou součástí velikonočních svátků odedávna. Těm moderním předcházely *krašanky* – vejce obarvená jednou barvou. Později se přidaly *krapanky* – jednobarevné kraslice zdobené kapkami vosku.

Podobná vosková technika se používá i u *pysanek*, vosk na vejce se jen nekape přímo, ale nanáší se speciálním „perem". Ornamenty *pysanek* je obtížné systematizovat vzhledem k obrovskému množství motivů. Tradičně se všechny kraslice barvily přírodními barvivy rostlinného nebo živočišného původu.

Až do roku 1861 rolníci vyráběli dekorativní a užité umění nejen pro osobní potřebu, ale i jako vazalskou daň majitelům půdy, na které hospodařili. Podle historických pramenů z roku 1834 musel například poddaný hrnčířský mistr za skromnou mzdu ročně vyrobit 10 400 hliněných kachlů a 15 600 nádob. Souběžně s tím musel také pracovat na poli a zajišťovat potřeby domácnosti. Po zrušení nevolnictví zůstala odměna za výrobky dosti nízká, řemeslníci se však začali stále více orientovat na prodej na trzích.

V místech, kde bylo lidové umění zvlášť rozšířené, řemesla vzkvétala a určitá města proslula jako střediska lidového umění a řemesel, některá z nich dodnes. Města Rešetylivka (Poltavská oblast) a Dihtjari (Černihivská oblast) se stala významnými dodavateli koberců, látek a výšivek; Krolevec (Sumská oblast) se proslavil charakteristickými červenobílými tkanými rušnyky a Opišnja (Poltavská oblast) a Bubnivka (Vinnycká oblast) dodávaly velmi kvalitní keramické nádobí a dekorativní hliněné výrobky. Na západě Ukrajiny bylo největším centrem tradičních uměleckých řemesel město Kosiv (Ivanofrankivská oblast), známé především keramikou – zejména výrobou keramických kachlů na pece, proslulých prostými, ale expresivními obrazy v typických béžovo-zelených tónech. Na Krymu, tedy na jihu země, se rozvíjelo dekorativní umění krymských Tatarů. Jedním z charakteristických rysů umění z této oblasti je například zdobení různých předmětů pro domácnost tradičními orneckými ornamenty.

V sovětských dobách se v mnoha městech proslulých lidovými řemesly otevřely specializované výrobní závody. Jejich výrobky se těšily velkému obdivu nejen na Ukrajině a dalších republikách Sovětského svazu, ale i v zahraničí, kde si ukrajinské lidové umění vydobylo mnohá ocenění na uměleckořemeslných výstavách. Po rozpadu Sovětského svazu ve výrobě pokračovali především jednotliví umělci-živnostníci.

Mezi různými formami lidového umění zaujímá zvláštní místo tkalcovství, vyšívání a další způsoby výroby a zdobení látek. Snad nejznámější je ukrajinská dámská a pánská vyšívaná košile, tzv. *vyšyvanka*, jakýsi symbol země a její tradiční kultury. V historii byl ukrajinský oděv kombinací charakteristických slovanských ozdob s prvky, které se na Ukrajinu dostaly z východních stepí. Ukrajinské tradiční kroje se výrazně liší v závislosti na regionu; někdy měli obyvatelé na dvou březích jedné řeky naprosto odlišné stylové preference.

Ukrajinské lidové umění se vyznačuje zvláštním zájmem o barevnost. Přednost mají jasné barvy, jež vyvolávají nejsilnější emoce. Neméně působivé jsou čistě geometrické vzory. S lidovou tradicí aktivně spolupracovali novátorští výtvarníci začátku dvacátého století. Estetika ukrajinského lidového umění silně zapůsobila na Oleksandru Ekster, Kazymyra Malevyče a další avantgardní umělce. Světlé abstraktní textílie, výšivky a zejména ikony a malovaná vejce představují známé a neocenitelné příklady umění, jež nevycházelo z realistických principů, ale z rytmu, barev a často i magické představivosti.

K nejzajímavějším typům ukrajinského lidového umění patří ručně zdobené velikonoční kraslice, ukrajinsky *pysanky*. Nejčastější technikou bylo batikování, kdy se vosk nanášel speciálním perem a vejce se po vrstvách barvilo.

Tato tradice má kořeny v předkřesťanských jarních rituálech spojených
s probouzením přírody a kultem plodnosti. V ukrajinské křesťanské kultuře jsou
pysanky *všudypřítomnou součástí velikonočních svátků odedávna. Velkou sbírku,
včetně zde uvedených kraslic, uchovává Muzeum Ivana Hončara v Kyjevě. Viz s. 242.*

# Chronologie

**cca 45 000 př. n. l.**

První neandertálští osadníci.

**cca 5500–2750 př. n. l.**

Rozkvět trypilské kultury v mladší době kamenné a době bronzové.

**cca 10. století př. n. l.**

Na jižní Ukrajině se usazují kočovní Kimmerijci.

**7.–3. století př. n. l.**

Stepi na jižní Ukrajině ovládají skythské kmeny.

**cca 6. století př. n. l.**

Na severním pobřeží Černého moře vznikají starořecké městské státy.

**422 př. n. l.**

Založen starořecký městský stát Chersonésos (u dnešní Sevastopole).

**3. století př. n. l.**

Sarmatské kmeny si podrobují Skythy na Krymu.

---

**1240**

Vyplenění Kyjevské Rusi Mongoly; východní oblasti pohlcuje Zlatá horda.

**1349**

Lvov dobyt Polskem.

**1362**

Bitva u Modrých vod: Zlatá horda ztrácí právo vybírat daň od zemí mezi Baltem a Černým mořem.

**70. léta 14. století**

Ve Lvově je postavena arménská katedrála.

**1397**

Vzniká Kyjevský žaltář.

**1439**

Založeno lvovské Uspenské bratrstvo.

**1453**

Pád Konstantinopole.

---

**1580–1581**

Vychází Ostrožská bible.

**1615**

V Kyjevě založena bratrská škola, předchůdce Kyjevsko-mohyljanské akademie.

**1648**

Kozácké povstání proti Polsko-litevské unii vedené Bohdanem Chmelnickým.

**1654**

Vzniká kozácký Hetmanát. Perejaslavská smlouva – část ukrajinských zemí se stává součástí ruského impéria.

**1686**

Pod ruskou nadvládu se dostává oblast na východ od řeky Dněpr.

**1687**

Ivan Mazepa se stává hetmanem kozáckého státu.

**cca 1700–1760**

V Medžybiži žije rabín Israel ben Eliezer (Bešt), zakladatel chasidismu.

---

**1814**

Narodil se básník a výtvarník Taras Ševčenko.

**1853–1856**

Krymská válka mezi Ruskem a Osmanskou říší v koalici s Francií, Velkou Británií a Sardinským královstvím.

**1855**

Obléhání Sevastopolu.

**1861**

Otevření první železnice na Ukrajině; v carském Rusku je zrušeno nevolnictví; umírá Taras Ševčenko.

**1863**

Tajné nařízení carského Ruska známé jako Valujevův oběžník zakazuje vydávat knihy v ukrajinštině.

**1865**

Vzniká Oděská výtvarná škola (nejstarší umělecká škola v zemi) jako „škola kreslení".

**1869**

V Charkově otevřena první soukromá škola kreslení a malování v carském Rusku.

---

**1917**

Založení Ukrajinské akademie umění.

**1917**

Bolševická revoluce v Rusku.

**1917–1919: SOVĚTSKO–UKRAJINSKÁ VÁLKA**

**1917–1918**

Bolševické povstání.

**1917**

Hlavní město Ukrajinské sovětské republiky přesunuto do Charkova.

**1918**

Ukrajinská centrální rada vyhlašuje Ukrajinskou lidovou republiku jako suverénní stát.

**1918–1919**

Občanská válka na Ukrajině; vpád Rudé armády; protisovětská povstání.

**1919–1921**

Polsko-sovětská válka.

---

**1959**

Stepan Bandera zavražděn v Mnichově agentem KGB.

**1964**

Partyzánská výstava výtvarníků Valentyna Chrušče a Stanislava Syčova v královské zahradě v Oděse.

**1972**

V Charkově vzniká umělecká skupina Vremja (Čas).

**1986**

Výbuch jaderné elektrárny v Černobylu.

**1990**

400 tisíc Ukrajinců vytváří lidský řetěz ze Lvova do Kyjeva jako projev touhy po nezávislosti země.

**1991**

Rozpad Sovětského svazu; více než 90 % Ukrajinců hlasuje pro nezávislost.

**1992**

Předsedou vlády je zvolen Leonid Kučma.

---

**2006**

Moskva přerušuje dodávky plynu na Ukrajinu.

**2006**

V Kyjevě vzniká PinchukArtCentre.

**2008**

Juščenko a tehdejší premiérka Julija Tymošenko žádají o akční plán členství pro vstup do NATO.

**2010**

Janukovyč je zvolen prezidentem.

**2011**

Vůdkyně opozice Tymošenko je uvězněna; při střetech mezi policií a demonstranty je zabito více než 100 lidí.

**2012**

Ukrajina a Polsko hostí Mistrovství Evropy ve fotbale Euro 2012; řada evropských zemí zápasy bojkotuje kvůli špatnému zacházení s Tymošenkovou ve vězení.

**2013**

Janukovyč odmítá podepsat asociační dohodu s EU; vypukají protesty na Majdanu (kyjevské náměstí Nezávislosti), které požadují prezidentovo odstoupení.

| ■ 47 PŘ. N. L. | ■ 3.–4. století | ■ 5.–7. století | ■ 9. století | ■ 988 | ■ 1222 | ■ 30. léta 13. století |
|---|---|---|---|---|---|---|
| Krymský poloostrov pod vládou římské říše. | Vpád Ostrogótů a Hunů – vytlačí Skythy, Sarmaty i Římany. | Na ukrajinské území expandují různé skupiny a kmeny včetně Chazarů, slovanských kmenů, Antů a Bulharů. | Vznik Kyjevské Rusi. | Kníže Vladimír přijímá křesťanství. | Uzavření pravoslavných kostelů papežem Honoriem III., následují křížové výpravy na Rus. | První vpády Mongolů na Rus. |

| ■ 1458 | ■ 1475 | ■ konec 15. století | ■ 1514 | ■ 1532 | ■ 1552 | ■ 1569 |
|---|---|---|---|---|---|---|
| Založeno Vilniuské kušnířské bratrstvo. | Krymský chanát se stává vazalem Osmanské říše. | V Krakově a Praze jsou vytištěny první knihy ve staroukrajinštině a staroběloruštině. | Bitva u Orši: ruthénské vojsko vedené Konstantinem Ostrožským poráží moskevsko- -německou alianci. | Postavena velká chánova mešita v Bachčisaraji na Krymu. | Na ostrově v Dněpru vzniká Záporožská Sič. | Lublinská unie. |

| ■ 1709 | ■ 1744 | ■ 1772–1795 | ■ 1775 | ■ 1783 | ■ 1784–1801 | ■ 1795 |
|---|---|---|---|---|---|---|
| Porážka švédsko- -kozáckých vojsk u Poltavy; začátek potírání práv Hetmanátu carským Ruskem. | Začíná stavba chrámu sv. Ondřeje v Kyjevě. | Trojí dělení Polska. | Kateřina Veliká likviduje Záporožskou Sič. | Rusko boura mešity na Krymu, odkud prchají krymští Tataři. | Stavba kyjevské pevnosti arzenál. | Území západní Ukrajiny rozdělena mezi Rakousko a Rusko. |

| ■ 1876 | ■ 1898 | ■ 1899 | ■ 1901 | ■ 1908 | ■ 1910 | ■ 1914 |
|---|---|---|---|---|---|---|
| Car Alexandr II. zakazuje ukrajinštinu tzv. Emžským dekretem. | V Kyjevské oblasti odkryto první archeologické naleziště trypilské kultury. | Otevřeno kyjevské Muzeum starožitností a umění, dnes Národní umělecké muzeum Ukrajiny. | Založena první výtvarná škola v Kyjevě. | Davyd Burljuk pořádá v Kyjevě výstavu „Lanka" (Odkaz). | Benátské bienále vystavuje díla Oleksandra Muraška. | První samostatná výstava moderního umění „Kilce" (Prsten). |

| ■ 1922 | ■ 1928 | ■ 1932–1933 | ■ 1937 | ■ 1943 | ■ 1944 | ■ Konec 50. let |
|---|---|---|---|---|---|---|
| Vznik Sovětského svazu, jehož součástí se stává Ukrajinská sovětská socialistická republika. | Stalin zahajuje první pětiletku. | Velký hladomor (genocida) na sovětské Ukrajině, tzv. Holodomor. | Při stalinských čistkách nazývaných Velký teror je popravena většina umělců, včetně Mychajla Bojčuka a Ivana Padalky. | Osvobození Kyjeva od nacistů. | Stalin nechává deportovat cca 250 tisíc krymských Tatarů na východ. | Doba chruščovovského tání mírně uvolňuje politické a kulturní represe v Sovětském svazu. |

| ■ 1993 | ■ 1994 | ■ 2000–2001 | ■ 2004 | ■ 2004 | ■ 2004 | ■ 2005 |
|---|---|---|---|---|---|---|
| Do Kyjeva přijíždí kurátorka Marta Kuzma, aby řídila nové Sorosovo centrum současného umění. | Kučma se stává prezidentem; je podepsáno Budapešťské memorandum a Ukrajina se vzdává jaderných zbraní. | Kučma je obviněn z korupce, volebních podvodů a objednání vraždy novináře. | Prezidentem se stává Viktor Janukovyč podporovaný Kučmou a Putinem; účastníci oranžové revoluce protestují proti zmanipulovaným volbám. | Vůdce opozice Viktor Juščenko přežije pokus o atentát (otrava dioxinem). | Oranžová revoluce vyvolává druhé volby, které vyhrává Juščenko. | Vzniká Mysteckyj Arsenal, jeden z největších výstavních komplexů v Evropě. |

| ■ 2014 | ■ 2014 | ■ 2016 | ■ 2017 | ■ 2019 | ■ 2021 | ■ 2022 |
|---|---|---|---|---|---|---|
| Revoluce důstojnosti: více než 100 protestujících zabito; Janukovyč prchá do Ruska – je odstaven od moci a obviněn z masové vraždy protestujících. | V březnu Rusko nezákonně anektuje Krym, což vede k válce na Donbasu. V květnu je prezidentem zvolen Petro Porošenko. | Rusko provádí kybernetický útok na kyjevskou rozvodnou síť, a způsobuje tak rozsáhlý výpadek elektřiny. | Další kybernetický útok je zaměřen na Národní banku Ukrajiny a rozvodnou síť. | Prezidentem je drtivou většinou zvolen bývalý herec Volodymyr Zelenskyj. | Duben: Rusko vysílá k ukrajinským hranicím 100 tisíc vojáků na „vojenské cvičení". Prosinec: Putin žádá NATO, aby Ukrajině zakázalo členství. | 24. února: invaze ruských vojsk a začátek celoplošné války na Ukrajině. |

# Autoři textů

**Andrej Kurkov**

Andrej Kurkov je jedním z nejuznávanějších současných ukrajinských spisovatelů a autor knihy *Tučňák a smrt* (česky vyšla v překladu Milana Dvořáka v roce 2010 v pražském nakladatelství Galén, pozn. překl.). Působí také jako novinář, přední komentátor, byl prezidentem ukrajinského PEN klubu. Narodil se v roce 1961 v tehdejší Leningradské oblasti, ale od dvou let vyrůstal v Kyjevě. Po ukončení studia na Kyjevském pedagogickém ústavu cizích jazyků (dnes Kyjevská národní lingvistická univerzita) se začal věnovat žurnalistice a během vojenské služby sloužil jako vězeňský dozorce v Oděse. Stal se významným scenáristou a romanopiscem (románu *Tučňák a smrt* se jen na Ukrajině prodalo více než 150 tisíc výtisků) a jeho díla se dočkala překladů do jedenačtyřiceti jazyků.

**Andrij Pučkov**

Andrij Pučkov se narodil roku 1970 v Kyjevě. Vystudoval architekturu a věnuje se jak jí, tak kulturologii a kritice a studiu výtvarného umění. Zabývá se poetikou antické architektury, politickými dějinami Byzance, dějinami klasické filologie na Ukrajině v devatenáctém a dvacátém století, teorií a dějinami tisku, poezií, ukrajinským dramatem a sovětskou architekturou dvacátého století. Na daná témata napsal více než dvacet knih a přes 700 článků. Je členem ukrajinské Akademie architektury, laureátem Státní ceny Ukrajiny v oboru architektury a profesorem na katedře teorie a dějin umění Národní akademie výtvarných umění a architektury.

**Christian Raffensperger**

Christian Raffensperger je profesorem na katedře humanitních studií v německém Wittenbergu. Ve své vědecké činnosti se zaměřuje na začlenění Kyjevské Rusi a východní Evropy obecně do středověkého evropského světa. Výsledkem jeho bádání jsou díla *Reimagining Europe: Kievan Rus' in the Medieval World, 988–1146* (Nový obraz Evropy: Kyjevská Rus ve středověkém světě, 988–1146) a *Conflict, Bargaining, and Kinship Networks in Medieval Eastern Europe* (Konflikty, vyjednávání a příbuzenské vazby ve středověké východní Evropě) a řada dalších knih a článků.

**Diana Kločko**

Diana Kločko je významná kunsthistorička a autorka knihy *65 ukrajinskych šedevriv* (65 mistrovských děl [ukrajinského výtvarného umění]). Narodila se v ukrajinské vesnici Kozyn v Rivnenské oblasti a roku 1997 ukončila doktorská studia na Národní akademii výtvarného umění a architektury v Kyjevě. Od té doby zastávala různé pedagogické pozice, pracovala jako korespondentka a redaktorka a zasedala v řadě porot soutěží. Roku 2011 s kolegy založila překladatelskou cenu Metafora. Jako odbornice spolupracuje také s vydavateli knih o umění a od roku 2011 přednáší o dějinách umění pro veřejnost; organizuje výstavy a podílela se na založení platformy Ukrajinská vizuální kniha. Je členkou ukrajinské sekce Mezinárodní asociace výtvarných kritiků AICA (UNESCO) a ukrajinského PEN klubu.

**Maksym Jaremenko**

Maksym Jaremenko vystudoval historii a působí jako profesor na katedře dějin Národní univerzity Kyjevsko-mohyljanská akademie. Je členem redakční rady časopisu *Kyjivska Akademija* a vědeckým pracovníkem Národního muzea dějin Ukrajiny. Zabývá se raně novověkými a novověkými církevními dějinami a dějinami náboženské kultury, gramotnosti a vzdělanosti. Za zmínku stojí jeho kniha *Pered vyklykamy unifikacii*

*ta dyscyplinuvannja: Kyjivska pravoslavna mytropolija u XVIII stolitti* (Tváří v tvář výzvám sjednocení a disciplíny: Kyjevská pravoslavná metropole v 18. století), která vyšla v roce 2017.

**Alisa Ložkina**

Alisa Ložkina je nezávislá kritička umění a kurátorka z Kyjeva, v současné době působí v USA. V letech 2010 až 2016 pracovala jako šéfredaktorka významného ukrajinského časopisu o umění *ART UKRAINE*. Mezi roky 2013 až 2017 byla zástupkyní ředitele a hlavní kurátorkou největšího ukrajinského muzea a výstavního komplexu Mysteckyj Arsenal. Jako kurátorka se podílela na řadě uměleckých projektů na Ukrajině i v zahraničí a napsala několik knih, například *Permanentna revolucija. Mystectvo Ukrajiny XX–poč. XXI st.* (Permanentní revoluce: Ukrajinské umění 20.–počátku 21. stol.), která vyšla ukrajinsky v roce 2019 a byla přeložena do angličtiny a francouzštiny.

**Myroslava M. Mudrak**

Myroslava Maria Mudrak působí jako emeritní profesorka dějin umění na Státní univerzitě v Ohiu. Je členkou ukrajinské Národní akademie umění a specializuje se na východoevropské, ukrajinské a ruské modernistické umění přelomu devatenáctého a dvacátého století. Výstavní katalog *Staging the Ukrainian avant-garde of the 1910s and 1920s* (Inscenace ukrajinské avantgardy desátých a dvacátých let dvacátého století), který sestavila s kolegyní Teťjanou Rudenko, byl v roce 2016 oceněn cenou Alfreda H. Barra, Jr., a nedávno publikovala knihu o předním ukrajinském moderním grafikovi *The Imaginative World of Heorhii Narbut and the Making of a Ukrainian Brand* (Imaginativní svět Heorhije Narbuta a vytvoření ukrajinské značky, 2020).

# Poděkování

### Oleksandr Solovjov

Oleksandr Solovjov je přední kritik umění a kurátor, narodil se r. 1952 ve Volgogradě. Vystudoval Kyjevský státní umělecký institut a poté absolvoval postgraduální studium na Ústavu dějin umění Národní akademie věd Ukrajiny. Od té doby organizoval řadu významných projektů a výstav, mimo jiné i v PinchukArtCentre. V roce 2015 byl kurátorem a členem poroty výstavní soutěže pro mladé ukrajinské a britské umělce, UK/RAINE, jež se konala v prostorách londýnské Saatchi Gallery; v letech 2003, 2007 a 2013 byl kurátorem ukrajinského pavilonu na benátském bienále. Napsal řadu publikací, především o tématech souvisejících se současným ukrajinským výtvarným uměním.

### Viktorija Burlaka

Viktorija Burlaka je kritička umění a kurátorka se specializací na současné ukrajinské výtvarné umění. Žije a pracuje v Kyjevě a od roku 2002 působí jako výzkumná pracovnice v Ústavu moderního umění na Národní akademii umění Ukrajiny. V letech 2007 až 2012 byla kurátorkou Malé výtvarné galerie centra Mysteckyj Arsenal, mezi roky 2009 a 2013 působila jako kurátorka kyjevské Galerie na Instytutské a od roku 2014 je kurátorkou experimentálního vzdělávacího projektu Škola současného umění. Vydala několik knih a článků, mezi něž patří například *Istorija Obrazu. Mystectvo 2000-ch* (Dějiny obrazu: Umění po roce 2000, 2011) a *Postmedijna optyka. Ukrajinska versija* (Postmediální optika: Ukrajinská verze, 2019).

Nakladatelství děkuje všem přispěvatelům knihy, odborným konzultantům a zástupcům ukrajinského PEN klubu, bez jejichž pomoci by kniha nevyšla. Navzdory přetrvávajícím útrapám patří obrovské poděkování galeriím, muzeím a lidem na Ukrajině za pomoc při poskytování ilustrací a dohledávání informací o uměleckých dílech.

### Poznámka k překladu

Vybrané básně ze sbírky *Kobzar* Tarase Ševčenka (více viz s. 143 a 256) vyšly v překladu Jana Turečka-Jizerského a Marie Marčanové v knize Taras Ševčenko: *Bylo kdysi v Ukrajině*. Praha: Svoboda, 1946. V roce 1953 vyšla sbírka v překladu Zdeňky Bergrové-Vovsové: Taras Ševčenko: *Kobzar*. Praha: SNKLHU – Státní nakladatelství krásné literatury, hudby a umění, 1953.

### Redakční poznámka

Při odborné revizi českého překladu bylo přihlédnuto k původním textům napsaným ukrajinsky a rusky. V české verzi užíváme známá toponyma v českém tradičním přepisu: Kyjev, Lvov, Charkov, Záporoží, Oděsa, Bachčisaraj apod. U některých toponym uvádíme počeštěnou i ukrajinskou variantu: Černovice (Černivci). Většinu toponym přepisujeme z ukrajinské podoby, např. Chmelnyckyj nebo Černivecká oblast.

Konkrétní jména uvádíme v přepisu z ruské verze vzhledem k době a místu působení a lepší dohledatelnosti daného umělce – např. Vladimir Strelnikov. Některá jména je nutné uvést do kontextu i dodanou variantou v sousedních jazycích: např. Mykola Vasyl Potockyj (polsky Mikołaj Bazyli Potocki). U celosvětově známých umělců užíváme ukrajinskou formu jména, ale dodáváme i mezinárodně užívanou verzi jmen: např. Oleksandr Archypenko (známý jako Alexander Archipenko) nebo Kazymyr Malevyč (známý jako Kazimir Malevič).

Jméno Ostap Vyšňa je v češtině zavedeno s -ň, proto je takto uvádíme. Ostatní jména a toponyma v případě měkčení uvádíme v přepise s -j, např. Kornjakt, Marynjuk, Humenjuk, Opišnja apod.

# Literatura

# Literatura v češtině

Konstantin Akinsha: *Avant-Garde Betrayed: Kyiv, Kharkiv, Odesa* (Londýn, 2022). Kniha představuje průkopnické umění, jež vznikalo na území dnešní Ukrajiny na počátku dvacátého století, a doprovází významnou putovní výstavu po evropských muzeích.

*Contemporary Ukrainian and Baltic Art: Political and Social Perspectives, 1991–2021.* Ed. Svitlana Biedarieva (New York, 2021). Detailní studie proměny, kterou prošly umělecké scény na Ukrajině, v Estonsku, Litvě a Lotyšsku od získání nezávislosti v roce 1991.

Diana Kločko: *65 ukrajinských šedevriv* (Kyjev, 2019). Renomovaná kritička umění odhaluje nejvýznamnější umělecká díla v předních muzeích v Kyjevě, Lvově, Oděse, Charkově a Chmelnyckém.

Andrej Kurkov: *Ukraine Diaries: Dispatches from Kiev* (Londýn, 2014). Deníky, které z první ruky popisují ukrajinskou politickou krizi, a to počínaje prvním dnem proevropských protestů v listopadu 2013. Přinášejí dokonalý vhled do života v zemi uprostřed hlubokých otřesů a nepokojů. Ihned po svém prvním vydání však působily téměř zastarale.

*Painting in Excess: Kyiv's Art Revival, 1985–1993.* Ed. Olena Martynyuk (New Brunswick, 2021). Katalog k výstavě vydaný ve spolupráci s Muzeem umění Jane Voorhees Zimmerli (Zimmerli Art Museum) mapuje odvážné nové výtvarné umění, které vzniklo v Kyjevě v době pádu Sovětského svazu.

Christian Raffensperger: *Reimagining Europe: Kievan Rus' in the Medieval World* (Cambridge, 2012). Toto významné dílo zpochybňuje vědecké závěry, podle nichž byla Kyjevská Rus součástí samostatného byzantského společenství, a tento státní útvar pojímá v širších souvislostech středověké Evropy.

Oleksandr Soloviov: *Premonition: Ukrainian Art Now* (Londýn, 2014). Autor přináší obecný úvod do současné vzrušující ukrajinské umělecké scény a představuje řadu zásadních výtvarníků.

Anna Reid: *Borderland: A Journey Through the History of Ukraine* (Londýn, 2015). Aktualizace původního vydání z roku 1997 zahrnuje revoluci (Euromajdan) v roce 2014 a počátek války na Donbasu. Spojení historie a cestopisu představuje stravitelný úvod do minulosti Ukrajiny.

Richard Sakwa: *Frontline Ukraine: Crisis in the Borderlands* (Londýn, 2022). Nová a přístupná studie vzniku, dějin, vývoje a celosvětového významu probíhající války na Ukrajině.

Serhy Yekelchyk: *Ukraine: Birth of a Modern Nation* (Oxford, 2007). Tyto dějiny Ukrajiny přinášejí nepřekonaný popis oranžové revoluce a jejích důsledků a zabývají se moderní ukrajinskou identitou v postsovětské éře.

Anne Applebaum: *Rudý hladomor: Stalinova válka na Ukrajině* (přel. Milan Dvořák, Praha, 2018). Přesný popis Velkého hladomoru (Holodomoru), který v letech 1932–1933 vyvolala sovětská kolektivizace a který způsobil smrt milionů Ukrajinců.

Andrej Bán et al.: *Chleba z minového pole: reportáže z Ukrajiny* (Praha, 2022). Reportáže českých a zahraničních novinářů popisují situaci v různých oblastech Ukrajiny zasažených válečným konfliktem. Zachycují každodenní život obyvatel a pozornost je věnována též ukrajinským dějinám.

Olena Krušynska: *Zakarpatí: průvodce bývalou Podkarpatskou Rusí* (přel. Rita Kindlerová, Praha, 2017). Kulturně-historický průvodce po Podkarpatské Rusi. Jsou v ní představeny všechny nejdůležitější architektonické památky, historická zástavba, zděné kostely a synagogy a především dřevěné kostelíky a zvonice. Obsahuje též informace o muzeích, památkách, zajímavých technických stavbách i přírodních lokalitách. Zvláštní pozornost je věnována českým stopám.

Radomyr Mokryk a Jiří Padevět: *Hovory o Ukrajině* (Praha, 2023). Jak vznikala ukrajinská státnost, kdo byli „banderovci", co byl ukrajinský Majdan a byla rusko-ukrajinská válka nevyhnutelná? Kniha rozhovorů o složitých kapitolách ukrajinských dějin se pokouší přiblížit moderní dějiny Ukrajiny a její současný boj bez propagandistických klišé a historických mýtů.

Serhii Plokhy: *Brány Evropy: dějiny Ukrajiny* (přel. Richard Janda, Brno, 2023). Nejlepší kniha o politických dějinách Ukrajiny od starověku do současnosti v kontextu historického vývoje střední a východní Evropy od oceňovaného profesora Harvardovy univerzity.

Jan Rychlík, Bohdan Zilynskyj a Paul R. Magocsi: *Dějiny Ukrajiny* (Praha, 2015). Obecné dějiny Ukrajiny od nejstarších dob po oranžovou revoluci.

Kostjantyn Sigov: *Poselství z Kyjeva o Ukrajině a Evropě* (přel. Lenka Karfíková a Filip Karfík, Praha, 2023). Ukrajinský filosof se ve svých esejích a rozhovorech zaobírá příčinami, průběhem a mezinárodněpolitickými důsledky současného rusko-ukrajinského konfliktu s přesahem do ukrajinských dějin.

Timothy Snyder: *Obnova národů: Polsko, Ukrajina, Litva, Bělorusko 1569–1999* (přel. Petruška Šustrová, Polanka nad Odrou, 2018). Autor bestsellerů v této své knize pojednává o vzniku ukrajinské, polské, litevské a běloruské státnosti v průběhu čtyř století.

*Ukrajinské výtvarné umění v meziválečném Československu = Ukrajins'ke mystec'ke seredovyšče v mižvoennij Čechoslovaččyni: k 80. výročí založení Ukrajinského studia výtvarných umění v Praze* (Praha, 2005). Sborník textů představující sbírky děl ukrajinských umělců z Muzea osvobozeneckého boje Ukrajiny (1925–1945), Památníku národního písemnictví, Národní galerie, Slovanské knihovny aj.

Helena Ulbrechtová: *Fenomén Krym: bájná Taurida, nebo sovětský ráj?* (Praha, 2020). Nástin kulturních i politických dějin Krymu.

Volodymyr Vjatrovyč: *Ukrajinské 20. století: utajované dějiny* (přel. Rita Kindlerová, Praha, 2020). Populárně-naučná kniha představující dějiny Ukrajiny 20. století ve známých i zcela neznámých příbězích jednotlivců, skupin a událostí.

# Zdroje ilustrací

# Citace

*Pokud to bylo možné, snažili jsme se uvést vlastníky autorských práv na reprodukovaná díla.*
*a = nahoře, b = dole, c = uprostřed, l = vlevo, r = vpravo*

**37a** artyOk/123RF.com; **37b** andreyshevchenko/123RF.com; **19** ezarubina/123RF.com; **67** Alex Ishchenko/123RF.com; **72** Johan10/123RF.com; **92** mistervlad/123RF.com; **90** pillerss/123RF.com; **82** raagoon/123RF.com; **88–89** ronedya/123RF.com; **74–75, 121** slava2271/123RF.com; **2, 78, 93, 94, 96, 125, 127, 155, 179, 185, 188, 199a, 214b** akg-images; **141** akg-images/Elizaveta Becker; **146** Heritage Images/Fine Art Images/akg-images; **132ar** Vadym Cherenko/Alamy Stock Foto; **132al, 132ac** Igor Golovnov/Alamy Stock Foto; **112, 118** Robert Harding/Alamy Stock Foto; **172–173** Mariana Ianovska/Alamy Stock Foto; **104–105** Viktor Onyshchenko/Alamy Stock Foto; **131** Panther Media GmbH/Alamy Stock Foto; **14** Oleksandr Rupeta/Alamy Stock Foto; **139, 193** Maxal Tamor/Alamy Stock Foto; **152** Ivan Vdovin/Alamy Stock Foto; **63** Cambridge University Library; **228** © Ilja Čyčkan; **57** Museo Nazionale Archaeologico, Cividale del Friuli; **230** Foto: Marc Domage. S laskavým svolením autora a Galleria Continua; **64–65** © Dudlajzov/Dreamstime.com; **169b** © Enigmaart/Dreamstime.com; **68–69** © Gerasimovvv/Dreamstime.com; **86–87** © Kobets/Dreamstime.com; **6–7, 147** © Kateryna Levchenko/Dreamstime.com; **130** © Roman Melnyk/Dreamstime.com; **126** © Serhii Nikolaienko/Dreamstime.com; **120** © Oleksandr Tkachenko/Dreamstime. com; **116–117** © Viacheslav Tykhanskyi/Dreamstime.com; **169a** © Vladwitty/Dreamstime.com; **26–27** © Andrii Zhezhera/Dreamstime.com; **54** Godong/ Universal Images Group/Getty Images; **132cc** Igor Golovnov/SOPA Images/LightRocket/Getty Images; **235** © Oleksandr Hnylyckyj; **225** © Oleh Holosij; **124** istockFoto:.com; **231** © Nikita Kadan; **8–9, 148, 170** Charkovské muzeum výtvarného umění; **106ar, 106bl, 106bc, 106br, 107ac, 107ar, 107bl, 242–3** Národní muzeum huculského a pokutského lidového umění Josafata Kobrynského, Kolomyja; **44, 45, 47** Národní muzeum umění Bohdana a Varvary Chanenkových, Kyjev; **20–21, 48–49, 77, 106al, 106ac, 107bc, 107br, 132cl, 132cr, 132bl, 132bc, 132br, 133, 160–161, 186–187, 214a, 215a, 215b, 244–5** Muzeum Ivana Hončara, Kyjev; **18, 99** Oddělení rukopisů Národní knihovny Ukrajiny V. I. Vernadského, Kyjev; **100** Ukrajinské muzeum knihy a tisku, Kyjev; **162, 174, 175, 176, 177** Muzeum ukrajinského divadelního, hudebního a filmového umění, Kyjev; **197** Muzeum ukrajinského umění, Kyjev; **73** Sbírka Národního muzea „Kyjevská výtvarná galerie" (Kyjevská národní výtvarná galerie), **71, 122, 142l, 149, 150–151, 178, 184, 195** Národní umělecké muzeum Ukrajiny, Kyjev. Foto: Mychajlo Andrejev; **156** Národní umělecké muzeum Ukrajiny, Kyjev. Foto: Igor Tyshenko; **153, 196** Národní umělecké muzeum Ukrajiny, Kyjev. Neznámý fotograf; **5, 22, 29, 30, 31, 32, 33, 34, 35, 41, 60, 61, 70, 166** Národní muzeum dějin Ukrajiny, Kyjev; **134, 142r** Sbírka Národního muzea Tarase Ševčenka, Kyjev; **76** Národní muzeum lidového dekorativního umění Ukrajiny, Kyjev; **145** Sbírka Kyjevské obrazové galerie; **181** Soukromá sbírka, Kyjev; **103** Šeremtjevovo muzeum, Kyjev. Foto: Antikvar Publishing House; **204** © Valerij Lamach; **43** Foto: Radosław Liwoch (Archeologické muzeum v Krakově); **62** British Museum, Londýn; **201** © Anatolij Lymarjev; **183, 206** Lvovská národní galerie umění Boryse Voznyckého; **240** © Jarema Malaščuk a Roman Chimej; **220** © Pavlo Markov/Foto: Jevhen Nikiforov; **210** © Borys Mychajlov. S laskavým svolením autora; **158–159** Sbírka rodiny Novakivských; **157** Oděské muzeum moderního umění; **200** Muzeum výtvarného umění v Oděse; **207** NT Art Gallery, Oděsa; **209** © Jevhenij Pavlov; **16** © Marija Pryjmačenko; **203** Soukromá sbírka. © Hryhorij Havrylenko; **199b** Soukromá sbírka. © Mykola Hluščenko; **239** © Vlada Ralko; **241** © Danijil Revkovskyj a Andrij Račynskyj; **232** © REP Group; **223** © Oleksandr Rojtburd. S laskavým svolením Betty Roytburd; **227** © Arsen Savadov; **171** Digitální obraz, Museum of Modern Art, New York/ Scala, Florencie; **180** Foto: The Philadelphia Museum of Art/Art Resource/Scala, Florencie. © The Archipenko Foundation; **85** Ruslan Lytvyn/Shutterstock; **212** manhattan_art/Shutterstock; **39** Ovchinnikova Irina/Shutterstock; **115** rbrechko/Shutterstock; **237** © Tiberij Silvaši; **50, 58, 91** Ruská národní knihovna, Petrohrad; **108, 119** Foto: Mykola Swarnyk CC BY-SA 3.0; **216, 224** © Oleh Tistol; **236** © Vasyl Caholov; **129** V1snyk CC BY-SA 4.0; **233** © Stanislav Voljazlovskyj; **101** Ostrožské hradní muzeum, Ostroh, Volyň; **59** Valerij Jotov; **205** © Karlo Zvirynskyj.

**s. 154** „V roce 1909 získal Muraškův obraz *Kolotoč*..." Žbankova, Olha: *Oleksandr Muraško. Tvory z kolekciji nacionalnoho chudožnjoho muzeju Ukrajiny*, Kyjev, 2000.

**s. 164** „Burljuk se zasazoval za opuštění veškeré ‚literárnosti'...". Uvedeno pod pseudonymem D. Burljuka, Skirgello: „Vystavka kartin ‚Zveno'", *Kijevljanin*, 30. listopadu 1908, č. 332:3.

**s. 208** „Mychajlov o tom ve svých zápiscích prostě, ale výstižně říká..." Sanduljak, Alina: „Charkovskaja škola fotografii: Boris Michajlov", *ART UKRAINE* (artukraine.com.ua), 26. listopadu 2015.

**s. 225** „kunsthistorička Jekaterina Ďogoť..." Ďogoť, Jekaterina: „Dary kleptomana", *Galereja Ridžina Chronika*, září 1990 – červen 1992, Moskva, 1993.

**p. 229** „Inscenované fotografie a videa té doby..." Solovjov, Oleksandr: „Photoshock without Photoshop", *Imago*, č. 6, 1998.

# Rejstřík

## Závěť

*Taras Ševčenko*

Až vydechnu, pochovejte
mne tam na mohyle
vprostřed stepi, na té širé
Ukrajině milé,
aby lány nekonečné,
Dněpr, jeho stráně
bylo vidět, bylo slyšet,
jak řve nespoutaně.

Jak odnáší z Ukrajiny
k moři modravému
krev nepřátel... Teprv tehdy
polím, stráním – všemu
poslední dám sbohem, vzletím
k trůnu pánaboha
na modlitby... do té doby
nechci znáti boha.

Pochovejte a povstaňte,
z pout a jha se vzchopte,
zpupnou nepřátelskou krví
šat volnosti zkropte.
A mne v rodině té velké,
svobodné a nové
nezapomeňte vzpomenout
nezlým, tichým slovem.

Toto je původní verze básně Tarase Ševčenka „Závěť" (Zapovit) z roku 1845. Přestože se Ukrajina může pyšnit velkými a význačnými básníky a spisovateli, její největší literární osobností je právě Taras Ševčenko, který svůj život a dílo zasvětil ukrajinskému sebeurčení. Jeho dílo dodnes oslovuje čtenáře a inspiruje současné básníky, spisovatele a překladatele.

(Autorem českého překladu básně je Jaroslav Kabíček. Vyšla ve výboru Taras Ševčenko: *Bílé mraky, černá mračna*. Praha: Československý spisovatel, 1977, pozn. překl.)